Foundations French 2

Kate Beeching
Senior Lecturer in Linguistics and French
at the University of the West of England

Series Editor
Tom Carty
Formerly IWLP Programme Leader at Staffordshire University
and the University of Wolverhampton

First published 2002 by
PALGRAVE MACMILLAN
Houndmills, Basingstoke, Hampshire RG21 6XS and
175 Fifth Avenue, New York, N.Y. 10010
Companies and representatives throughout the world

PALGRAVE MACMILLAN is the new global academic imprint of St. Martin's Press LLC Scholarly and Reference Division and Palgrave Publishers Ltd (formerly Macmillan Press Ltd).

ISBN 0–333–92235–2 book
ISBN 0–333–92189–5 cassettes

This book is printed on paper suitable for recycling and made from fully managed and sustained forest sources.

A catalogue record for this book is available from the British Library.

Audio production: University of Brighton Media Centre
Produced by Brian Hill

Voices: Hubert Liagre, Marie-Stéphanie Labattu, Guillaume Fabre, Christine Diamond, Chantal Lonsdale

Original design by Wendi Watson

Formatted by
The Ascenders Partnership, Basingstoke

10 9 8 7 6 5 4 3 2
11 10 09 08 07 06 05 04 03

Printed in China

Acknowledgements

The following illustration sources are acknowledged:

Kate Beeching pp. 2, 5, 6, 9, 16, 19, 53, 54, 58, 82, 85, 95, 109; Helen Bugler pp. 76, 77, 78, 94, 101, 102; Ann Carlisle p. 88; Cinema Shop, London W1 p. 57; Paul Fellows pp. 11, 12 (bottom); Tim Morgan pp. 4, 11, 12 (top left); Helen Phillips pp. 33, 39, 40, 68, 134; Spectrum Colour Library p. 111; Chris Szabady pp. 11, 12 (top right); Esther Thackeray pp. 35, 46, 47, 108.

The author and publishers would like to thank the following for permission to use copyright material:

Editions Gallimard for Jacques Prévert, 'Déjeuner du matin' in *Paroles*, © Editions Gallimard, p. 20; France Télécom for use of the advertisement 'France Télécom: des idées à suivre', p.49, France Télécom ®;EURO RSCG Corporation for use of the article 'Vous avez le droit de savoir ce que vous mangez', p. 61 © EURO RSCG BETC; Claude Noel of Camping Les Lavandes for use of the 'Camp de Tourisme Les Lavandes' advert p. 85; Prisma Presse for reproduction of the articles 'La Loire sauvée: victoire du saumon sur le béton!' p. 110, 'Peut-on prévenir les avalanches?' p. 123 and 'Mobilité' p. 137 © *Ça m'intéresse*.

Every effort has been made to trace all copyright holders, but if any have inadvertently been overlooked the publishers will be pleased to make the necessary arrangements at the first opportunity.

Mainly for the tutor

Foundations French 2 is an intermediate French language course aimed at students taking a language option or similar module on an Institution-Wide Language Programme (IWLP). It is part of the Foundations Languages series which is specifically designed for such programmes. The structure and content of the titles in the series are informed by market research and consultation within the sector. All the series authors are experienced tutors on IWLP-style university courses.

Many of the textbooks used on beginners' and intermediate language courses in higher education were not designed for that purpose and it shows. Tutors and students particularly complain of inappropriate topics (too much on food and drink or shopping, for example) and excessive length (with units and sections having to be skipped or the book not completed). Tutors often also find they have to supplement the textbook to make up for deficiencies in the coverage of skills, tasks or grammatical topics required by university or college module descriptors.

This textbook takes into account the diversity of the intermediate language class, combining as it often does students who, for example, obtained GCSE grades A to C two or three years earlier with others proceeding within the university or college from beginners' or near-beginners' level. It is designed to fit the typical 24-week teaching year and assumes two or three hours of class contact per week.

There are ten units (five per semester if your academic year is organised that way), each structured in the same way, except Unit 10 which is a revision unit. In each unit the core material is supported by partner work, listening and reading extension work, grammatical exposition and exercises, as well as a vocabulary page. For further work and private study there are supplementary exercises relating to each unit. An answers section gives answers to all exercises, whether core or supplementary. There is a guide to grammatical terms, a grammar summary and a French-English vocabulary list. Finally, there is an index of topics and language items and an overview of the contents of each unit. Items marked with a headphone icon (🎧) are on the accompanying recording, the price of which includes the right to duplicate free of charge within the institution, providing resulting copies are not sold (certain restrictions apply).

For more details on the structure of the book and suggestions on using it, see the 'Mainly for the student' section of this introduction. Encourage your students to read that introduction and the tips on learning a language which follow it. Both the introduction and the tips stress to the student that this is a taught course and that they should be guided by you, the tutor.

Mainly for the student

What follows is a guide to the textbook. Take time to read it so that you get maximum benefit from your course. You should also read and refer to the section 'Learning a language' which begins on page ix.

Structure

There are ten **units**. Apart from Unit 10, which is a revision unit, these have the same clear, consistent structure, which you will soon get used to. At the start of a unit, there is a brief **summary** of what you will learn. Then comes the **core**, usually six pages, in which new material is introduced, then practised and used in various ways. Each unit is divided into numbered items. At various points there are boxes labelled **orientation** (*guidance*) highlighting and explaining vocabulary, structures and grammatical points as they occur. Audio cassettes accompany the textbook.

The core is followed by a page headed **Extra!**. As the heading implies, this material, while on the same topics as in the core, makes extra demands, is that bit more challenging.

Two pages are then devoted to the **grammatical structures** you have encountered in the unit, with exercises to practise them.

The next page is the **new vocabulary** from the unit.

Then come two pages of **partner work**, communication exercises where you are given prompts for half a conversation (Partner A page) and your partner has the prompts for the other half (Partner B page).

Beginning on page 129 there are **supplementary exercises** for each unit. These are for work outside the classroom. Your tutor may sometimes set work from these pages or you can use them as and when suits you to consolidate what you have learned.

For reference there is a **guide to grammatical terms**, an overall **grammar summary** and a **glossary** (word list). At the end of the book, you will find **answers** to all the exercises and an **overview** of the topics, language functions and grammar of each unit.

Using the book

Each unit focuses on one or more themes or situations in which the language is used. The short **summary** at the start of the unit tells you what the themes are and describes what you will be able to do with the language once you have completed the unit. That's a key word ('do'): while language-learning requires and develops knowledge and understanding, it above all means developing the capability of using the language in given circumstances.

The **core** contains the 'input' (new language) for the unit and various tasks designed to help you master it and make it your own. The key inputs are mostly in the form of dialogues or monologues (items 1, 4 and 7 in each unit) on the recording which accompanies this book. It is absolutely vital to spend time and effort mastering this material. Be guided by your tutor. He or she will introduce it in class or ask you to prepare it in advance.

It is a good idea to begin by covering up the script and listening to the whole piece a couple of times. Above all, don't try to work through it word by word. Remember you're not an interpreter: relax and focus on what you do understand instead of fretting about what you don't. Sometimes there are questions giving a focus to your listening. Once you've got an overall idea of what's going on, the next step will usually be to listen to shorter sections of the piece, which enables you to do some more concentrated listening. There might be a section you listen to a few times, but remind yourself again that you're not interpreting.

You will now be ready to do more detailed work on the material. After listening without reference to the script, this next phase will involve turning to the book. Following the script of each dialogue/monologue, you will find an **orientation** box with the key structures. After or while referring to this, you can listen to the piece again with the script in front of you.

By this stage you will probably be clear as to the content of the piece, but there may be the odd word or phrase you're unsure of. Turn to the vocabulary page for the unit and check. If a grammatical point puzzles you, refer to the grammar pages.

The tasks that follow your work on the input material reinforce and practise the material introduced. These tasks can include: *questions* to answer in English or French; a *vocabulary search*, in which you find in the recording or the script the French equivalent to English phrases; and various speaking exercises such as *role-play*, *retelling* a story, *discussion* with a partner, *interviewing* other class members.

After you have done the exercises in class (or gone over them there, having prepared them in advance), make sure you revise the input material and key structures in your private study time.

The core also includes reading and writing exercises which further practise material related to the unit topic. Although there is some variation in structure, most of the units have two main reading items (usually numbers 6 and 10) in the core, with item 10 leading directly to a related writing exercise, item 11. The texts are of various types, from holiday and travel information to love story, advertising (accommodation, jobs, banking products aimed at young people, etc.) to formal and informal letters, anecdote to topical issue. The tasks set include *true/false statements*; *questions* in French or English; *searching* for how the text expresses certain information; *summarising*; *making and explaining a decision* on the basis of information provided. This range of tasks is designed to develop different sorts of reading skill.

The recording provides you with a model to work from in improving your French pronunciation and intonation.

The **Extra!** page in each unit gives you the opportunity to develop your understanding of French, taking listening and reading skills beyond the confines of the core input material while staying on related topics. Here, listening tasks are based on unscripted dialogues and typically involve listening for specific information.

The **grammar** pages follow. The first gives you a clear overview of the grammar content of the unit, the second provides a set of short exercises so you can test yourself (answers at the back of the book). Don't skip these pages: they simply clarify grammatical structures you have met and used during the unit. This is how you become aware of the French language as a system and so develop autonomy, the capacity to use structures in new contexts.

The **vocabulary** page gives the new words and phrases occurring in the unit. (Note that you can use a noun in French properly only if you know whether it is masculine or feminine.) Refer to it while working on the unit. Actively learn the vocabulary: it is a good idea to test yourself at the end of each unit. Revision is important too: at the end of the semester or year, go back over earlier units. It can be more fun and more motivating to work on this with another member of your class, taking turns to test each other.

The **partner work** material can be used in or out of the classroom to develop communication skills. The scenarios are always based on the material in the unit core, so you are securely in a known context. The challenge is to use the language you have learnt to communicate information your partner needs and to respond to what he or she says.

The **supplementary exercises** give further practice on a unit-by-unit basis and are designed to be used in private study. Answers are given at the back of the book. As the section 'Learning a language' stresses, work outside the classroom, both that set by the tutor and that done on your own initiative to meet your own priorities, is an essential part of a taught language course.

The supplementary exercises for each unit include a 'prompted conversation'. This recorded conversation contains gaps, each with an English prompt for what you have to say in French. After a pause, the correct French version is given and you either correct where you went wrong or repeat in triumph at getting it right!

The introduction on the previous pages outlines the structure of this book and indicates how it is designed to be used: make sure you read it. The aim here is to give more general guidance on language-learning. You should read it before you begin your course and refer to it regularly.

The advice which follows takes into account that you are following a taught course rather than a course of self-tuition. The good news is you will probably find it refreshingly different from the rest of your studies. The language-learning programme revolves round sessions in an active language classroom rather than an anonymous lecture theatre. These regular classroom sessions will involve you in a range of social interactions, small-group activities such as partner work and simple role-play, for example, as well as in answering questions and working through exercises individually. Feeding into these classroom sessions and flowing from them is what is called directed study, set by your tutor but allowing you a lot of scope for organising your work in ways that suit you. Beyond that is private study, where you decide the priorities.

Increasing attention is being paid in higher education to what are called transferable skills. These are skills acquired in one context which can be used in another. Successful language-learning is recognised as particularly rich in transferable skills valued by employers, such as communication skills and self-management.

So your language course will be both a stimulatingly different learning experience giving you CV-enhancing competence in a language *and* a vehicle for developing useful transferable skills. What should you do to get maximum benefit from the course?

1. Know in advance exactly what's expected of you. Check the course or module guide or **syllabus** and, in particular, find out how it is assessed. Is it a semester-based or a year-long course? Is there an exam? What assessed coursework is there? When are the assessments?

   The course guide and assessment information will probably be expressed in terms of the four language skills of listening, speaking, reading and writing. The relative importance of these skills can vary between institutions.

2. Remember you're not on your own. You are on a taught course and **your tutor** is there to guide you through it. You benefit from his or her experience and knowledge. Using the material in the book, he or she will introduce new

structures, ensure you practise them in class and then enable you to produce similar language as you develop the capacity to use the language autonomously. The tutor will also answer your questions on language and language-learning. The first rule of a taught language course, then, is to follow your guide.

3. Of course a guide can't travel for you. While your tutor will show you the way, **only you can do the learning**, both in the classroom and outside the timetabled hours.

4. **Regular attendance** at the language class is vital. Don't miss out on it. A language class is a workshop, not a lecture. The classroom is a place of performance: you *do* things that can't easily be done elsewhere. Or to put it more formally, you take part in structured activities designed to develop your linguistic competence.

5. It follows that you benefit from the language class by being active, by **participating**. This means listening carefully, working through the exercises, answering questions, taking part in simple dialogues, contributing to group work, taking the risk of speaking without the certainty of being right. It also means preparing before classes and following up afterwards ...

6. ... because what you do **outside the classroom** is vital, too. While new topics will normally be introduced in class, your tutor will also set tasks which feed in to what you will be doing in the next session. Classroom contact time is precious, normally no more than two or three hours a week, and it's essential to use it to the best effect. So make sure you get the most from each session by doing the preparation. Similarly, the tutor will ask you to follow up work in class with tasks designed to consolidate or develop what you have done.

7. You should take time to **review** and reflect on your language-learning, regularly going over what you have done in class, checking back, testing yourself. This will also enable you to decide your priorities for private study, working on aspects which are particular priorities for you (see point nine below).

8. This assumes that you are **organised**: keep a file or notebook, in which you jot down what you have done and what you plan to do. Take charge of your learning. It's a good idea to work for several short bursts a week rather than for a long time once a week.

9. While a lot of out-of-class work will be done at home, your university or college will probably have a Learning Centre, **Language Centre** or similar facilities in

the library. Check this out and use what is on offer to reinforce and supplement what you are doing in class and from this textbook. Make sure any material you use is suitable for your level: it will probably be classified or labelled using categories such as 'Beginners', 'Intermediate' and 'Advanced'.

Possible resources are: audio cassettes, videos, satellite TV, computer-based material, the Internet, books (language courses, grammar guides, dictionaries, simple readers), magazines and newspapers, worksheets. Possible activities include: listening comprehension, pronunciation practice, reading comprehension, grammar exercises, vocabulary exercises. Worksheets and computer-based materials will usually have keys with answers.

It's possible your tutor will set specific work to be done in the Language Centre, or that you will be expected to spend a certain amount of time there. Otherwise, you should find times during your week when you can drop in.

You can use private study to work on areas which need improvement (such as a point of grammar), to develop increased competence at a specific language skill (such as reading) or to find out more about a topic which interests you in a country where the language is spoken (such as cinema, sport or fashion). You decide the priorities.

10. Point nine referred to **grammar**. Don't be afraid of it! It is simply the term for how we talk about the way a language works. Learn the grammar and revise it as you go along. There are boxes with grammar points throughout each of the units in this book, a grammar summary for each unit and a grammar overview for the whole book. You probably feel hesitant about grammatical terms such as 'direct object' or 'definite article' but they are useful labels and easily learned. You can refer to the Guide to grammatical terms on page 150 for more help on this.

11. In addition to listening-based work in class, you should regularly work in your own time on the accompanying audio cassette material. In particular, try to reproduce the **pronunciation and intonation** (the 'music' of the language) of the native speakers on the tape. It's easier if you work at this from the start and establish good habits than if you approximate to the sounds of the language and have to correct them later. It is important that you repeat and speak out loud rather than in your head. Why not work with a friend?

12. Always bear in mind that, in learning a foreign language, you can normally understand (listening and reading) more than you can express (speaking and writing). And understanding is essential for communication. Above all, relax when listening or reading: remember **you don't have to be sure of every word**

to get the message. Above all, you don't need to translate into your native language as you go along.

13. To develop your ability to produce the language, work regularly with a partner on some of the exercises you have already done in class. Regular **practice** is the key. Remember fluency means speaking 'flowingly', not necessarily getting everything perfectly right. It is also a good idea to dip back into earlier units in the book to check you can still do your stuff.

14. To learn a language is to acquire something that can be used. Universities and colleges are increasingly international and you will almost certainly be able to make contact with **native speakers**. Try out your language. Get them to correct your pronunciation, find out about their country and culture. And enjoy yourself!

15. In fact that's the way to approach your language-learning, as something special and **enjoyable**.

To summarise:

1. Check the syllabus.
2. Remember your tutor is your guide ...
3. ... but you do the learning!
4. Attend the class regularly ...
5. ... and participate actively.
6. Work outside the classroom, ...
7. ... constantly reviewing your learning.
8. Be organised.
9. Use the Language Centre or similar facilities, especially for self-directed private study.
10. Learn the grammar and don't be afraid of grammatical terms.
11. Work from the start on getting pronunciation and intonation right.
12. Remember you don't have to be sure of every word to get the message.
13. Practise producing the language by going over exercises already done in class.
14. Meet fellow-students from countries where the language is spoken.
15. Enjoy yourself!

Tom Carty
Series Editor

The main purpose of this unit is to revise ways of introducing yourself and others and enable you to ask questions, interview people, and give and understand information about holidays, travel and vacation jobs.

You will also be revising question words, the present tense and the perfect tense.

1 Je me présente ...

Bonjour. Permettez-moi de me présenter. Je m'appelle Paul Turner. Je suis étudiant à l'Université de l'Ouest de l'Angleterre. J'étudie le commerce. Ce qui m'intéresse, c'est surtout le marketing. Je suis de Taunton dans le Somerset. J'ai un frère de 22 ans et une sœur de 16 ans. Je suis allé plusieurs fois en France. J'adore Paris et la région des Alpes où je suis allé l'année dernière pour faire du ski. Cet été j'ai eu un petit job dans un supermarché. J'ai travaillé à la caisse et j'ai aussi dû remplir les rayons. J'aime la télévision et le football mais je ne suis pas très sportif. Je fais du vélo. Voilà. C'est à peu près tout.

orientation

Je suis étudiant(e) à l'Université de	I am a student at the University of ... .
J'étudie les mathématiques/le droit/ le commerce/le tourisme.	I study maths/law/business/tourism.
Je fais des études d'ingénieur/de logicien/de vétérinaire.	I study engineering/computer programming/veterinary medicine.
Je suis de Taunton dans le Somerset.	I am from Taunton in Somerset.
J'ai eu un petit job dans un supermarché.	I had a job in a supermarket.
Je suis allé(e) ... j'ai travaillé ...	I went ... I worked ...
J'ai eu ... j'ai dû ...	I had ... I had to ...
Je fais du vélo/de la marche.	I go cycling/walking.

2 Présentations

Présentez-vous à la personne qui est assise à côté de vous.
Ecoutez bien la présentation de votre partenaire – vous allez le/la présenter aux autres.

Dépannage

Comment dit-on 'construction worker' en français? **['ouvrier du bâtiment']**
Quel est l'équivalent de 'Business Studies' en France? **['Etudes de Commerce']**
Excusez-moi, est-ce qu'on peut dire 'windsurf' en français? **[Non, on dit 'planche à voile']**

3 Je vous présente ...

Présentez votre partenaire à la classe entière.

Je vous présente Bob/Caroline (la personne à côté de vous).
Il/Elle est étudiant(e) de ...
Ce qui l'intéresse c'est ...
Il/Elle est de ... dans le ...
Il/Elle a ... frères et ... sœurs. Il/Elle est fils/fille unique.
Il/Elle travaille/a travaillé dans un hôpital/chantier etc.
Il/Elle aime la musique/le tennis/la planche à voile/la natation.

4 Questions

M. CHEBLI:	Excusez-moi, j'ai oublié votre nom. Comment vous vous appelez?
SARAH:	Sarah.
M. CHEBLI:	Et qu'est-ce que vous faites comme études?
SARAH:	Je fais des études d'ingénieur.
M. CHEBLI:	Ça vous plaît?
SARAH:	Oui, assez, mais il y a beaucoup de travail!
M. CHEBLI:	Bien sûr. Vous êtes d'où exactement?
SARAH:	De Cardiff au pays de Galles.
M. CHEBLI:	C'est joli, le pays de Galles. Combien de frères et de sœurs avez-vous?
SARAH:	Je n'ai pas de frères mais j'ai une sœur.
M. CHEBLI:	Vous habitez le campus de l'université?
SARAH:	Non, j'ai un petit studio en ville.
M.CHEBLI:	Vous avez un petit job le week-end?
SARAH:	Oui, je travaille dans un bar comme serveuse le samedi soir.
M.CHEBLI:	Qu'est-ce que vous faites de votre temps libre?
SARAH:	J'adore le cinéma!

orientation

Comment vous vous appelez?	What's your name?
Combien de frères et de sœurs avez-vous?	How many brothers and sisters have you got?
Qu'est-ce que vous faites comme études?	What are you studying?
Qu'est-ce que vous faites de votre temps libre?	What do you do in your spare time?
Vous êtes d'où?	Where do you come from?
Vous habitez le campus de l'université?	Do you live on the university campus?
Vous avez un petit job le week-end?	Do you have a part-time job at the weekend?

5 Sondage en classe

Faites un tour de la classe. Posez les questions ci-dessus à chaque personne. Notez leurs réponses.

Combien de personnes dans la classe …

- s'appellent Dave?
- s'appellent Claire?
- sont fils/fille unique?
- sont étudiants de commerce?
- aiment le cinéma?
- aiment les jeux d'ordinateur?
- sont de la région voisinante?
- habitent le campus de l'université?
- ont un petit job le week-end?

6 Lire

LES GORGES DU VERDON

Haute Provence

Ce "Grand Canyon" français est un terrain d'aventures incroyables ! Si vous êtes passionné d'escalade, de canoë et de randonnées, vous trouverez le stage qui vous convient dans les Gorges du Verdon.

Le centre

Le centre de stage se trouve dans la plus vieille maison d'un petit village provençal, près de Castellane.

Les sports

Rafting

Tous niveaux.

Si vous savez nager, si vous aimez les sensations fortes, alors vous êtes prêt pour la descente des gorges !

Escalade

Niveau avancé.

Si vous n'avez pas peur de descendre la célèbre falaise de l'Escalès, à la verticale sur 200 mètres, il faut être un assez bon grimpeur pour suivre ce stage.

Multisports

Pour les débutants.

De l'escalade, du rafting et de la randonnée ... un cocktail pour les vrais aventuriers.

Randonnée sauvage

Pour les débutants.

La route passe du sommet du Canyon, au fond des Gorges, le long de la rivière, et remonte sur les massifs environnants. Prenez des sacs légers et des appareils photo !

Vrai ou faux?

Lisez le texte sur les Gorges du Verdon, et dites si les phrases suivantes sont vraies ou fausses:

a Pour faire la randonnée sauvage, il faut savoir nager.

b Le stage 'Escalade' convient aux bons grimpeurs.

c Il faut avoir un niveau avancé pour faire le stage 'Multisports'.

d Vous aimez marcher? Le stage 'Randonnée sauvage' est idéal.

e Le centre se trouve dans la ville de Castellane.

f Il faut un appareil photo quand vous faites le rafting.

g Si vous n'êtes pas très sportif, il vaut mieux choisir les stages 'Multisports' ou 'Randonnée sauvage'.

h Pour le rafting, il faut savoir nager et être plutôt aventurier!

i Pour les gens qui ont le vertige, il faut choisir le stage 'Escalade'.

j Les Gorges du Verdon: destination idéale pour les amateurs de sports extrêmes.

7 Vous êtes déjà allé en Angleterre?

– Etes-vous déjà allé en Angleterre?
– Oui, j'ai visité Londres et j'ai passé deux semaines à Oxford.

– Qu'est-ce que vous avez fait à Oxford?
– J'ai suivi un stage linguistique.

– Qu'avez-vous fait?
– On a beaucoup travaillé le matin et puis l'après-midi il y avait des sorties culturelles. Samedi soir on est sortis au cinéma et en discothèque.

– Où avez-vous logé?
– J'ai logé dans une famille anglaise tout près de l'école. Ils étaient très gentils.

– Et la nourriture anglaise vous a plu?
– Oui, beaucoup. En Angleterre on mange énormément de pâtes et de pizzas et j'adore ça!

On first meeting someone, it is safer to use the **vous** form rather than **tu** to address them.

grammaire

Vous avez visité ...?	**J'ai visité ...**	**On a visité ...**
Vous avez travaillé ...?	**J'ai travaillé ...**	**On a travaillé ...**
Vous êtes allé(e)(s) ...?	**Je suis allé(e) ...**	**On est allé(e)(s) ...**
Vous êtes sorti(e)(s) ...?	**Je suis sorti(e) ...**	**On est sorti(e)(s) ...**

8 Ecrivez la question qui correspond à chacune des réponses suivantes.

a Oui, j'ai visité Paris et je suis allé aussi à Avignon dans le sud de la France.
b J'ai vu la Tour Eiffel, les Champs-Elysées, et le Musée d'Orsay.
c Non, je n'ai pas visité le Louvre.
d Nous avons fait du camping.
e Oui, la nourriture française est excellente – mais pour les végétariens, c'est difficile.
f Oui, le soir je suis allé au cinéma.

9 Corinne, qu'a-t-elle fait hier?

Retell Corinne's story, using **elle**, as in the example:
a *'Hier, elle a pris le train pour Caen.'*

a 'Hier, j'ai pris le train pour Caen.'
b 'Je suis arrivée à la gare vers 8h30.'
c 'J'ai déjeuné dans le train.'
d 'J'ai passé l'après-midi à lire un magazine.'
e 'J'ai dormi un peu.'
f 'J'ai raté la gare de Caen!'
g 'J'ai téléphoné à mes amis et ils ont beaucoup rigolé!'

10 Lire

Je m'appelle Louise. Je suis étudiante en géographie à l'Université de Cardiff. L'année dernière, je suis allée à St. Cirq Lapopie dans le département du Lot en France. Je suis partie avec trois amis. On a fait du camping près de la rivière. Il a fait très beau temps. On a pu nager dans la rivière et on a fait la descente du Lot en canoë. La ville de St. Cirq Lapopie est très intéressante. C'est une ville médiévale qui a été restaurée. De petites ruelles descendent du haut en bas de la ville et vous avez une vue panoramique sur la rivière. Il y a beaucoup de petites boutiques et de restaurants où on peut manger ou prendre un pot le soir – c'est très agréable. Au camping aussi il y avait des soirées spéciales, avec un bal et des feux d'artifice. C'était fantastique – je vous recommande d'y aller un de ces jours!

Répondez aux questions:

a Comment s'appelle-t-elle?
b Où fait-elle ses études?
c Qu'est-ce qu'elle étudie?
d Est-elle déjà allée en France?
e Où est-elle allée?
f Est-elle partie seule?
g Où ont-ils logé?
h Qu'est-ce qu'ils ont fait?
i La ville de St. Cirq Lapopie, comment est-elle?
j Qu'est-ce qu'on peut faire le soir?

11 Ecrire

Ecrivez 8–10 lignes. Décrivez un séjour en France ou, si vous n'êtes jamais allé en France, un autre endroit que vous avez aimé, et les activités que vous avez faites.

12 Où sont-ils allés?

Quatre étudiants vous parlent de leurs grandes vacances. Où sont-ils allés? Qu'ont-ils fait? Remplissez la grille:

	Nom	Destination	Avec qui?	Principales activités
a	Aziz			
b	Marie-Claire			
c	David			
d	Caterina			

13 Lire

AUVERGNE – MOTOS LOISIRS

RANDONNÉES - MOTO VERTE - INITIATION 'TRIAL'

Autres activités

Equitation (même lieu que la moto, promenade ou instruction)
Tennis – Plan d'eau – Aire de loisirs
Circuit pédestre – Ski de fond

Hébergement

Dortoir – camping – hôtels – gîtes
Possibilités d'accueil pour colonies de vacances ou classes vertes

Questions

a Can you do trial-biking at this centre if you are only a beginner? What word tells you?
b Name four other activities which are available.
c What choice of accommodation is there?
d Is group accommodation possible?

Grammaire

- **Questions**

There are three ways to ask a question.

a Use rising intonation: **Vous êtes étudiant?**

OR

b Use inversion: **Etes-vous étudiant?**

OR

c Use **Est-ce que ...?** **Est-ce que vous êtes étudiant?**

- **Question words**

Here are the question words you need to revise:

Quand?	When?	**Qui est-ce qui/que ...?**	Who?
A quelle heure?	At what time?	**Qu'est-ce qui/que ...?**	What?
Où?	Where?	**Pourquoi?**	Why?
Comment?	How? (or What?)	**Quel(s)/Quelle(s)?**	Which?
Combien?	How much/many?	**Lequel/Laquelle?**	Which one?

- **Making it negative**

The **ne ... pas** goes round the verb:

Je n'achète pas la voiture. I'm not buying the car.
Je ne sors pas ce soir. I'm not going out this evening.

- **Perfect tense**

Most verbs are conjugated with **avoir**:

j'<u>ai</u> travaillé	I worked	**nous <u>avons</u> choisi**	we chose
tu <u>as</u> fini	you finished	**vous <u>avez</u> mangé**	you ate
il/elle/on <u>a</u> perdu	he/she/we lost	**ils/elles <u>ont</u> oublié**	they forgot

Two main groups are conjugated with **être**:

1 Verbs of motion

aller, arriver, venir, partir, sortir, entrer, rester, tomber, monter, descendre, passer, naître, mourir

je suis né(e)	I was born	**nous sommes parti(e)s**	we left
tu es allé(e)	you went	**vous êtes entré(e)(s)**	you came in
il/elle est sorti(e)	he/she went out	**ils/elles sont mort(e)s**	they died
on est sorti(e)(s)	we went out		

2 Reflexive verbs (see Unit 2)

se lever, se coucher, s'habiller, se laver, se raser, se dépêcher, s'amuser, etc.

Note that for verbs conjugated with **être**, the past participle changes its ending to agree with the subject:

<u>elle</u> est sorti<u>e</u>; <u>ils</u> sont parti<u>s</u>;
<u>Corinne</u> s'est levé<u>e</u>; <u>elles</u> se sont lavé<u>es</u>; <u>on</u> s'est bien amusé<u>es</u>.

Exercices de grammaire

1 Turn the following sentences into questions. Practise the three different ways of doing so: a) using rising intonation; b) inversion* and c) **Est-ce que...?**

- **a** Vous êtes étudiant.
- **b** Il travaille dans un supermarché.
- **c** Ils parlent français.
- **d** Vous aimez la musique.
- **e** Il a déjà visité la France.
- **f** Vous êtes déjà allé(e) en Bretagne.

2 Make the questions in exercise 1a negative.
Example: Vous êtes étudiant? – **Vous n'êtes pas étudiant?**

3 Match the questions with the answers.

i	Comment vous appelez-vous?	**a**	Je suis fils unique.
ii	Combien de frères avez-vous?	**b**	Elle est blonde et très amusante.
iii	Qui est-ce qui vous accompagne?	**c**	Cherchez-le dans l'annuaire!
iv	Qu'est-ce que vous avez fait?	**d**	Martin.
v	Pourquoi êtes-vous allés à Paris?	**e**	Le rouge.
vi	Elle est comment, ta petite amie?	**f**	Jean-Pierre et Monique.
vii	Quel est ton numéro de téléphone?	**g**	Pour visiter les monuments.
viii	Lequel préférez-vous?	**h**	Du ski.

4 Turn these sentences in the present into the past using the perfect tense.

- **avoir** verbs

- **a** Je mange beaucoup de chocolat.
- **b** Nous travaillons tous les jours de 9h à 5h du soir.
- **c** Ils choisissent le steak-frites.
- **d** Vous finissez maintenant?
- **e** Tu vends ta voiture?

- **être** verbs (verbs of motion)

- **a** On va en Espagne cette année.
- **b** Ils arrivent très tôt le matin.
- **c** J'entre dans le restaurant.
- **d** Nous sortons tous les soirs.

*Note that when you invert, you must insert a **-t-** when two vowels come together: **A-t-elle visité...?**

Vocabulaire

The numbers refer to the exercises in this Unit.

1

se présenter	to introduce oneself
permettez-moi	allow me
s'intéresser à	to be interested in
un petit job	a temporary job
la caisse	till
j'ai dû (*from* devoir)	I had to
remplir les rayons	to stack shelves
du vélo	cycling

2

la natation	swimming
comment dit-on...?	how do you say...?

3

fils/fille unique	only child
un chantier	building site
la planche à voile	windsurfing

4

oublier	to forget
ça vous plaît?	do you like it?
un studio	a bed-sit
le serveur/la serveuse	waiter/waitress
le temps libre	free time

5

la région voisinante	the surrounding region
les jeux d'ordinateur (*mpl*)	computer games

6

les Gorges du Verdon	the Verdon Gorge
un terrain	land
incroyable	incredible
passionné de	very keen on
vous trouverez	you will find
le stage	training course
convient	suits
le rafting	white-water canoeing
le niveau	level
nager	to swim
prêt	ready
l'escalade (*f*)	rock-climbing
avoir peur	to be afraid
la falaise	cliff
un grimpeur	climber
les débutants (*mpl*)	beginners
la randonnée	ramble
léger	light

7

un stage linguistique	a language course
gentil	nice/kind
la nourriture	food
cela vous a plu?	did you like it?
les pâtes	pasta

9

rater	to miss

10

du haut en bas de la ville	from the top to the bottom of the town
prendre un pot	to have a drink
feux d'artifice (*mpl*)	fireworks
seul(e)	alone

11

un séjour	a stay
un endroit	a place

Avec un partenaire

Have you ever ...? – **As-tu déja ...?** **Es-tu déja ...?**

1 Ask your partner whether they have ever done the following things:

– faire du canoë

– faire de l'équitation

– faire de l'escalade

– monter en montgolfière

– faire du parapente

– aller à la pêche

– faire de la planche à voile

– faire de la plongée sous-marine

– faire un saut à l'élastique

– faire du ski nautique

– faire du VTT (vélo tout terrain)

2 Be prepared to tell your partner ...

– if you have ever been to Spain.
– if you have ever visited Disneyland Paris.
– if you have ever eaten biscuits in bed.
– if you have ever sung in the shower.
– if you have ever drunk too much wine.
– if you have ever gone to bed after three o'clock in the morning.

Avec un partenaire

B

1 Be ready to tell your partner whether you have done any of these things:

- faire du canoë
- faire de l'équitation
- faire de l'escalade
- monter en montgolfière
- faire du parapente
- aller à la pêche
- faire de la planche à voile
- faire de la plongée sous-marine
- faire un saut à l'élastique
- faire du ski nautique
- faire du VTT (vélo tout terrain)

2 Now ask your partner if he or she has ever ...

- been to Spain **[aller en Espagne]**
- visited Disneyland Paris **[visiter Disneyland à Paris]**
- eaten biscuits in bed **[manger des petits gâteaux au lit]**
- sung in the shower **[chanter sous la douche]**
- drunk too much wine **[boire/bu trop de vin]**
- gone to bed after three o'clock in the morning **[se coucher après trois heures du matin]**

In this unit you will be learning how to recount a sequence of events and tell and understand narratives and anecdotes.

You will also be revising and extending your knowledge of the perfect tense in French, paying particular attention to reflexive verbs.

1 Je l'ai cherché partout!

Ecoutez l'anecdote et répondez aux questions.

GASTON: Tu as l'habitude de perdre tes affaires?
SARAH: Ah oui, constamment!
GASTON: Quoi, par exemple?
SARAH: Oh, je perds mes clés, mon parapluie, mon porte-monnaie, enfin tout!
GASTON: Ton porte-monnaie, tu l'as retrouvé?
SARAH: Oui. Mais l'année dernière je suis allée en Espagne et j'ai perdu mon billet de train.
GASTON: Tu en as racheté un autre?
SARAH: Je n'avais plus d'argent donc je n'ai pas pu en acheter un autre.
GASTON: Qu'est-ce que tu as fait?
SARAH: Le contrôleur a commencé à s'approcher de moi et j'ai cherché partout.
GASTON: Oui.
SARAH: Mais je ne l'ai pas trouvé dans mes poches.
GASTON: Mmm.
SARAH: Et je ne l'ai pas trouvé dans mon sac. J'ai paniqué!
GASTON: Est-ce que le contrôleur a été sympa avec toi?
SARAH: Mais attends, je n'ai pas terminé. J'ai décidé de faire semblant de lire.
GASTON: En espérant que le contrôleur t'oublie ...?
SARAH: Oui, c'est ça, et, en ouvrant le livre, qu'est-ce que je vois entre les pages? Le billet!

a Sarah, qu'a-t-elle perdu un jour dans le train?
b Où l'a-t-elle cherché?
c Où l'a-t-elle finalement retrouvé?

orientation

Tu as l'habitude de perdre tes affaires?	Are you in the habit of losing your things?/ Do you usually lose your things?
Je perds mes clés, mon parapluie, mon porte-monnaie, enfin tout!	I lose my keys, my umbrella, my purse, well everything!
Tu en as racheté un autre?	Did you buy another one?
Je n'avais plus d'argent donc je n'ai pas pu en acheter un autre.	I had no more money left so I couldn't buy another one.
Qu'est-ce que tu as fait?	What did you do?
J'ai décidé de faire semblant de lire.	I decided to pretend to be reading.

2 Sondage en classe

Faites un tour de la classe. Posez les deux premières questions de Gaston (page 13) à chaque personne.
Notez leurs réponses.
Combien de personnes dans la classe ...

... ont déjà perdu leurs clés?
... ont déjà perdu leur porte-monnaie?
... ont déjà perdu un billet très important?
... ont déjà oublié de renouveler leur passeport?

3 Histoire drôle

Attribuez une des légendes à chaque image.

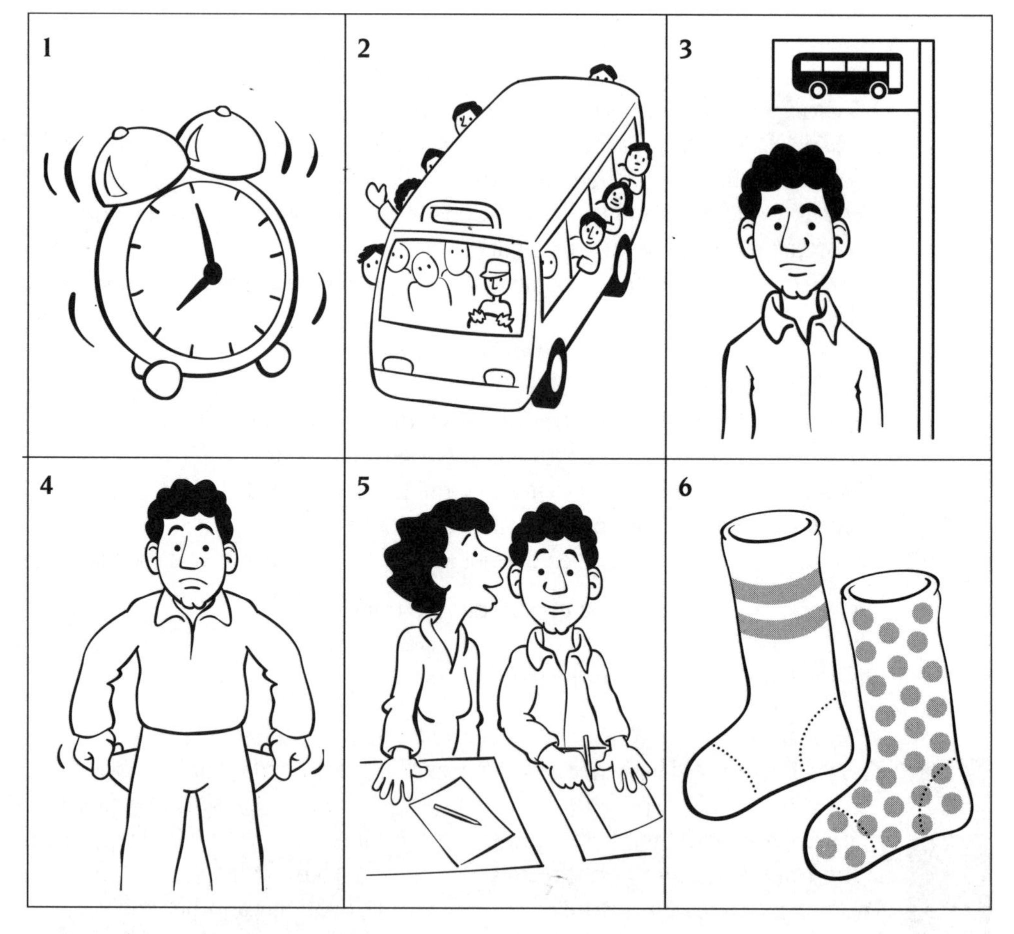

a Regarde tes chaussettes!
b J'ai cherché les clés de l'antivol.
c L'arrêt d'autobus.
d Les bus risquent d'être bondés.
e Tu t'es habillé en vitesse ce matin?
f Le réveil a sonné à huit heures.

4 Ecoutez l'histoire drôle.

Résumez l'essentiel en français (50 mots).

Quelque chose de bizarre m'est arrivé hier. Je me suis levé tôt comme d'habitude pour me rendre à l'université. J'avais cours à neuf heures trente. Le réveil a sonné à huit heures, j'ai sauté du lit, je me suis lavé et habillé en vitesse. J'ai avalé une tasse de thé et des céréales et je me suis dépêché parce que les bus sont souvent bondés aux heures d'affluence.

Je suis arrivé à l'arrêt d'autobus à huit heures quarante-cinq. Je me suis dit 'Tiens, pour une fois je suis à l'heure!'. Pourtant, j'ai dû attendre un quart d'heure. A neuf heures, toujours pas de bus. Je commençais à désespérer. J'ai décidé de prendre mon vélo. En rentrant à la maison, j'ai cherché les clés de l'antivol dans la poche gauche de mon pantalon. Rien. Je les ai donc cherchées dans la poche droite. Non plus. Dans les poches de mon gilet? Ah non, je les ai oubliées dans la cuisine. J'ai monté l'escalier en courant, j'ai retrouvé les clés et je suis ressorti de la maison. Et là qu'est-ce que j'ai vu? Le bus, bien entendu, qui partait sans moi. J'étais furieux!

Enfin, je suis arrivé à l'université à vélo avec dix minutes de retard. Je suis entré en classe à dix heures moins le quart et je me suis assis à côté d'une amie, Corinne. Elle s'est penchée vers moi et elle a chuchoté 'Tu t'es habillé en vitesse ce matin, ou quoi?'. 'Oui, pourquoi?'. 'Regarde tes chaussettes! Tu en as deux différentes!'. Quelle journée!

orientation

Quelque chose de bizarre m'est arrivé	Something funny happened to me
les heures d'affluence	rush hour
sauter du lit	to jump out of bed
avaler	to swallow/gulp down
à l'heure	on time
pourtant	however, yet
en rentrant	on going back to/whilst going back to
l'antivol	anti-theft device/crook-lock
se pencher	to lean across
chuchoter	to whisper
Quelle journée!	What a day!

grammaire

Perfect tense: verbs conjugated with both **avoir** and **être**

monter, **descendre**, **sortir** usually form the perfect tense with **être**, but they use **avoir** instead when they have a direct object:

Je suis monté.	I went up.	**J'ai monté l'escalier.**	I went up the stairs.
Je suis descendu.	I went down.	**J'ai descendu mon sac.**	I brought down my bag.
Je suis sorti.	I went out.	**J'ai sorti mon livre.**	I got out my book.

5 Il m'est arrivé quelque chose de drôle l'autre jour ...

A Racontez l'histoire du jour où vous avez oublié vos clés. Qu'est-ce qui s'est passé?

Ecoutez bien l'histoire de votre partenaire – vous allez la raconter aux autres (ex. **5B**)!

Je me suis levé(e)/Je ne me suis pas levé
Je suis sorti(e) à huit heures/J'ai sorti un stylo de ma poche
Je suis monté(e) la voir/J'ai monté l'escalier
Je me suis dit '......'
Les clés? Je les ai perdues/cherchées à la maison
J'ai dû les oublier à la bibliothèque
Il a dû arriver/sortir/partir en vacances

Dépannage

- Comment dit-on 'to sleep in' en français? **[faire la grasse matinée]**
- Est-ce que le verbe 'monter' est conjugué avec 'être'? **[Oui, normalement]**
- Qu'est-ce que c'est que 'to lose your way' en français? **[s'égarer]**

B Histoire vraie ...

Je vais vous raconter une histoire. Une histoire vraie.
C'est l'histoire de Bob/Caroline (la personne à côté de vous)
Un jour/Hier/La semaine dernière/Jeudi dernier il/elle ...
Après, ...
Mais, ...
Finalement, ...
Bref, ...

6 Read the extract from an interview with a latter-day Cinderella conducted by *Toi et moi* magazine. Answer the questions below in English.

Marie-Claude Meursault répond ...

Marie-Claude Meursault, véritable "Cendrillon" d'aujourd'hui, répond à nos questions sur sa vie intime avec son Prince Charmant ...

Toi et moi : **Alors, vous vivez heureux maintenant, Marie-Claude, vous et votre Prince Charmant ?**

Marie-Claude : Ah oui, ma vie s'est totalement transformée. Je suis heureuse comme tout. Mon Prince Charmant s'appelle Serge et il est adorable.

Pourquoi vos amies vous ont-elles donné le nom de Cendrillon ?

C'est-à-dire que j'étais étudiante et j'avais très peu d'argent. Pour boucler les fins de mois, je nettoyais les bureaux. Je devais me lever très tôt vers cinq heures du matin pour terminer avant huit heures et je faisais aussi la session du soir. Je terminais vers neuf heures du soir. Vous voyez un peu ...

Ah oui, je vois très bien. Et c'est pour ça que vos amies vous ont appelée Cendrillon ?

Oui, un soir, je suis arrivée chez moi, fatiguée, sale et découragée. Mes amies m'ont dit : "Tu es une vraie Cendrillon. Va prendre une douche, Marie, on va te sortir !"

Elles vous ont amenée donc à un bal ?

Pas exactement mais elles m'ont prêté une tenue formidable, je me souviens très bien, en soie, avec une paire de chaussures bleues qui étaient un peu trop grandes. Notre carrosse, c'était un taxi. On est allées en boîte.

Comment vous vous êtes rencontrés, Serge et vous ?

On a dansé ensemble pour une grande partie de la soirée. J'avais enlevé mes chaussures et à l'heure du départ je ne les ai pas retrouvées !

Et votre Prince Charmant les a trouvées ?

C'est ça. Je suis rentrée pieds nus ! Heureusement, c'était le mois de juillet et il faisait chaud. Mais le lendemain, Serge est venu à l'appartement pour chercher sa Cendrillon !

C'est un vrai conte de fée. Vous vous êtes mariés tout de suite ?

Pas tout de suite mais assez rapidement quand même. On s'est fiancés le mois d'octobre et le mariage a eu lieu il y a deux semaines.

Vous ne faites plus de nettoyage ?

Non, grâce à la compréhension de Serge, j'ai pu terminer mes études et j'ai un très bon emploi où je gagne beaucoup d'argent. Voila !

A 1 In what ways does Marie-Claude's story resemble that of Cinderella?
2 Did she and Serge get married straight away?
3 Does she still do cleaning?

B 1 Highlight or write down all the verbs in the passage which are in the perfect tense.
2 Why do some past participles end in **-e** or **-es** and some don't?
(Check the rules, page 22, note 3, if you're not sure.)

7 'Ni oui, ni non!'

'Ni oui, ni non' est un jeu dans lequel il faut répondre aux questions sans dire 'oui' ou 'non' (ou 'si')! Voici un exemple:

– Tu t'es levée tôt ce matin?
– Absolument, je me suis levée à 7h30.

– Vous vous êtes bien amusés hier soir, toi et tes copains?
– Nous nous sommes bien amusés, merci.

– T'es-tu dépêchée pour arriver à l'heure?
– Pas vraiment. J'ai pris mon temps.

– Est-ce que tu es déjà sortie avec un garçon?
– Tu plaisantes! Bien entendu que je suis déjà sortie avec un garçon.

– Dis moi! Est-ce que tu t'es brossé les dents ce matin?
– Bien sûr que je me suis brossé les dents!

– Mais tu ne t'es pas brossé les cheveux ...
– Mais si! Je t'assure, je me suis brossé les chev... Ah! c'est toi qui gagnes!

A toi de poser les questions maintenant.

grammaire

Reflexive verbs in questions and in negative answers

Tu t'es levé(e) ...?	**Je ne me suis pas levé(e) ...**
Vous vous êtes amusé(e)(s)?	**Nous ne nous sommes pas amusé(e)s.**
	On ne s'est pas amusé(e)(s).
Est-ce que tu t'es dépêché(e)?	**Je ne me suis pas dépêché(e).**
Est-ce que vous vous êtes dépêché(e)(s)?	**Nous ne nous sommes pas dépêché(e)s.**
	On ne s'est pas dépêché(e)(s).
T'es-tu couché(e) ...?	**Je ne me suis pas couché(e) ...**
Vous êtes-vous couché(e)(s) ...?	**Nous ne nous sommes pas couché(e)s ...**
	On ne s'est pas couché(e)(s) ...

8 Il faut utiliser 'Si' au lieu de 'Oui' après la négation.

Répondez avec 'Non!' ou 'Si!' aux questions et phrases suivantes:

Exemple: **Tu ne t'es pas levé(e) très tôt ce matin!**
Non, je me suis levé(e) à onze heures!/Si, je me suis levé(e) à huit heures!

a Tu n'es pas sorti(e) hier soir?
b Mais tu ne t'es pas couché(e) très tard.
c J'ai l'impression que tu ne t'es pas amusé(e).
d Tu n'es pas fatigué(e) aujourd'hui?
e Tu n'as pas assisté au cours de neuf heures ce matin.
f Tu n'es pas très alerte aujourd'hui!

9 Jouez 'Ni oui, ni non!' avec la personne qui est assise à côté de vous.

Ecrivez les questions d'abord en utilisant les trois formes des questions (résumées en Grammaire, page 22.)

Choisissez parmi les verbes suivants:

sortir, arriver, partir, naître, tomber (amoureux/amoureuse!) etc.
se lever, se brosser les dents/cheveux, se dépêcher, se coucher, s'amuser etc.

10 *Déjeuner du matin* par Jacques Prévert

Paroles, ©Editions Gallimard

Il a ________ le café
Dans la tasse
Il a ________ le lait
Dans la tasse de café
Il a ________ le sucre
Dans le café au lait
Avec la petite cuiller
Il a ________
Il a ________ le café au lait
Et il a ________ la tasse
Sans me parler
Il a ________
Une cigarette
Il a ________ des ronds
Avec la fumeé
Il a ________ les cendres
Dans le cendrier
Sans me parler
Sans me regarder
Il s'est ________
Il a ________
Son chapeau sur sa tête
Il a ________
Son manteau de pluie
Parce qu'il pleuvait
Et il est ________
Sous la pluie
Sans une parole
Sans me regarder
Et moi j'ai ________
Ma tête dans ma main
Et j'ai ________ .

a Remplissez les blancs dans le poème de Prévert avec les mots ci-dessous.

tourné	**mis**	**allumé**	**pleuré**
pris	**levé**	**mis**	**parti**
mis	**fait**	**mis**	**reposé**
bu	**mis**	**mis**	

b A la fin du poème quelqu'un pleure. Expliquez pourquoi.

11 Ecrire

Ecrivez un poème comme *Déjeuner du matin*. Employez le passé composé pour parler de quelque chose qui vous est arrivé ce matin à l'heure du petit déjeuner.

Extra!

12 'Cri du cœur'

Les étudiants suivants ont des problèmes personnels et demandent des conseils à une conseillère. Quels sont les problèmes soulevés et les solutions proposées? Remplissez la grille.

Nom	Problème	Solution proposée
Alistair		
Dimitra		
Tim		
Fouzia		

13 Lire

Lisez le courrier du cœur et répondez aux questions.

Chère Marie-Claude

Cet été, je suis sortie avec un homme que j'ai rencontré quand j'étais en vacances. On a passé des journées sur la plage. On est allés en boîte le soir. Je l'aime et il m'aime. Quand on s'est quittés, il m'a offert sa chaîne. On s'écrit et dans toutes ses lettres il dit qu'il m'aime. Dois-je le croire? Depuis sa dernière lettre, je suis désespérée. Nous habitons très loin l'un de l'autre. Et j'ai peur qu'il sorte avec une autre fille. Je sens que je panique complètement. J'essaie de me concentrer sur mes études et de sortir avec d'autres amis mais je n'arrive pas à l'oublier. Que dois-je faire?

Marguerite

Chère Marguerite

C'est bien dommage de paniquer. Ça t'empêche d'être heureuse. Pour l'instant, il t'aime. Il te le dit et il te le prouve. Continue à correspondre avec ce jeune homme. Tu me demandes si tu dois le croire. Je réponds : oui. Il t'a écrit et il a dit qu'il t'aime. Tu dis que vous habitez très loin l'un de l'autre. Mais serait-il possible d'organiser un rendez-vous? L'été, vous vous êtes bien amusés ensemble – propose-lui un week-end ou quelques jours de vacances. Pourquoi pas? Tu n'as rien à perdre et aucune raison de paniquer!

Marie-Claude

1 **a** Who did Marguerite start going out with this summer?
b What happened when they had to leave one another?
c What does he say in his letters?
d Why is Marguerite in despair?
e What is she doing to try to take her mind off her unhappiness?
f According to Marie-Claude, what is preventing Marguerite from being happy?
g What does Marie-Claude advise Marguerite to carry on doing?
h Does she think she should believe him? Why?
i What does she advise for the future?

2 Highlight, or write down, the nine verbs in the letters which are in the perfect tense.

Grammaire

More about the perfect tense

1 How to ask a question

a Use rising intonation: **Tu as déjà mangé?** **Tu es sorti(e) hier soir?**

OR

b Use inversion: **As-tu déjà mangé?** **Es-tu sorti(e) hier soir?**

OR

c Use **Est-ce que ...?** **Est-ce que tu as déjà mangé?** **Est-ce que tu es sorti(e) hier soir?**

2 How to ask a question using a reflexive verb (Don't forget the reflexive pronoun.)

a Use rising intonation: **Tu t'es levé(e) tôt?**

OR

b Use inversion: **T'es-tu levé(e) tôt?**

OR

c Use **Est-ce que ...?** **Est-ce que tu t'es levé(e) tôt?**

3 Making it negative

a Put **ne ... pas** round the part of **avoir** or **être**. Keep the pronoun (**me, te, se** etc.) INSIDE the sandwich. (Think of the pronoun as the mustard with the **ne** and **pas** the pieces of bread round your verb sandwich.)

Note that with **avoir** verbs the past participle (**acheté**, **fini**, **vu** etc.) agrees with a preceding direct object (**me**, **te**, **le**, **la**, **les** etc.): add '**e**' for feminine: '**s**' for plural.

b **avoir** verbs:

La voiture? – Je ne l'ai pas achetée.	The car? I didn't buy it.
Les fleurs? – Tu ne me les as pas données.	The flowers? You didn't give them to me.

c **être** verbs:

Nous ne sommes pas sorti(e)s.	We did not leave.
Vous n'êtes pas arrivé(e)(s).	You did not arrive.

d Reflexive verbs:

Je ne me suis pas levé(e).	I did not get up.
Tu ne t'es pas couché(e).	You did not go to bed.
Il ne s'est pas lavé.	He did not wash.
Elle ne s'est pas habillée.	She did not get dressed.
Nous ne nous sommes pas dépêché(e)s.	We did not hurry.
Vous ne vous êtes pas approché(e)(s).	You did not come nearer.
Ils ne se sont pas rasés.	They did not shave.
Elles ne se sont pas assises.	They did not sit down.

Exercices de grammaire

1 Make the following sentences negative:
Example: **a Vous ne vous êtes pas levés.**

a Vous vous êtes levés.
b Il s'est couché.
c Ils se sont approchés.
d Tu t'es brossé les dents.
e Elle s'est habillée.
f Nous nous sommes trompés.

2 True story
Fill in the correct endings to the past participles: **(e)(s)**. Watch out for those that do not require any of these endings. Then translate the story.

Je m'appelle Diane. Il y a deux ans je suis tombé__(a)__ amoureuse d'un jeune homme qui s'appelle Laurent. Je suis son aînée de quinze ans mais qu'importe! On s'aime et on a beaucoup d'intérêts en commun. Ma famille et mes meilleurs amis pourtant ne comprennent pas la situation. Récemment nous nous sommes marié__(b)__. Le jour du mariage même, ma mère s'est assis__(c)__ à côté de moi et m'a critiqué__(d)__. Mais elle s'est décidé__(e)__ à accepter la situation. Nos amis se sont tous très bien amusé__(f)__ et nous ont offert__(g)__ beaucoup de cadeaux. Après le mariage nous nous sommes installé__(h)__ dans un très bel appartement. Bref, on s'aime et il est impossible de nous séparer!

3 You have lent them all to other people!
Say who you have lent them to – remembering to make the past participle agree if necessary. Invent two of your own examples,

e.g. **Mes chaussures? Je les ai prêtées à Pierre!**

a Mes livres de maths?
b Ma voiture?
c Mon parapluie?
d Mes chaussettes multicolores?

Vocabulaire

The numbers refer to the exercises in this Unit.

1

le parapluie	umbrella
le porte-monnaie	purse
l'année dernière (*f*)	last year
un billet	ticket
le contrôleur	ticket inspector
faire semblant de	to pretend
en ouvrant	on opening

2

renouveler	to renew

4

se lever	to get up
tôt	early
comme d'habitude	as usual
se rendre	to go/get to
avoir cours	to have classes
se laver	to wash
s'habiller	to get dressed
en vitesse	quickly
se dépêcher	to hurry
bondé	full up
désespérer	to despair
les clés (*fpl*)	keys
entretemps	in the meantime
la chaussette	sock

5

Je me suis dit	I said to myself
J'ai dû …	I must have …
Qu'est-ce qui s'est passé?	What happened?
une histoire vraie	true story
raconter une histoire	to tell a story
hier	yesterday
la semaine dernière	last week
jeudi dernier	last Thursday
après	afterwards
bref	to cut a long story short

6

boucler les fins de mois	to make ends meet
nettoyer	to clean
sale	dirty
décourage	discouraged, 'low'
une tenue	get-up, set of clothes
la carrosse	carriage
se rencontrer	to meet
pieds nus	bare-foot
un conte de fée	a fairy story
quand même	all the same
avoir lieu	to take place
il y a (deux semaines)	(two weeks) ago
grâce à	thanks to
la compréhension	understanding (nature)

7/8

s'amuser	to have fun, have a good time
tu plaisantes!	you're kidding!
bien entendu/sûr	of course
c'est toi qui gagnes!	you win!
à toi de …	your turn to …
se coucher	to go to bed

10

la cuiller	spoon
sans me parler	without speaking to me
la fumée	smoke
les cendres (*fpl*)	ash
le cendrier	ashtray
sans une parole	without a word

A

Avec un partenaire

Personal habits!

1 Ask your partner about what he or she has been doing:

sortir hier soir

se coucher hier soir

se lever ce matin

prendre une douche

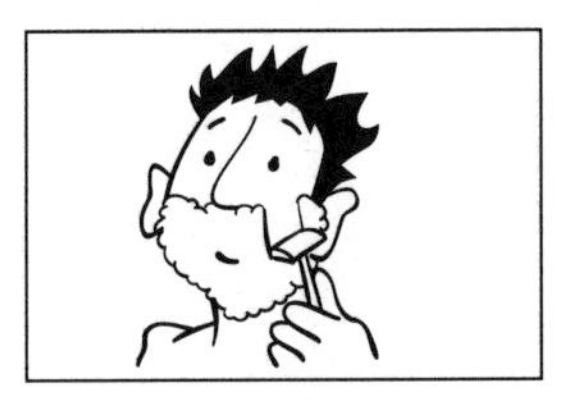

se raser

se brosser les dents

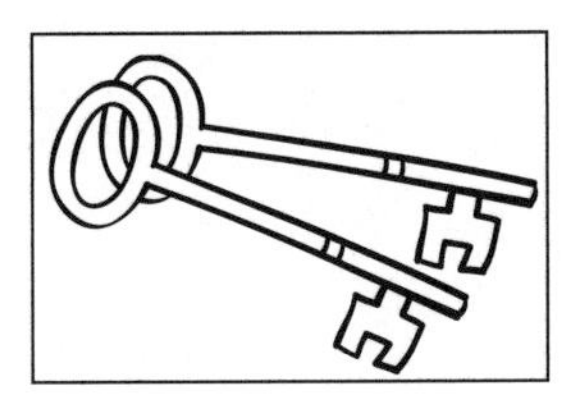

perdre ses clés

arriver en retard

se disputer avec son
petit ami/sa petite amie

2 Be prepared to tell your partner about the time you …

- lost your passport
- ate too much chocolate
- quarrelled with your parents
- went to bed after four in the morning
- drank too much wine or beer
- failed your exams
- didn't hear your alarm clock

Avec un partenaire

B

Personal habits!

1 What have you been doing? Be prepared to tell your partner:

- whether you went out last night
- what time you got to bed
- what time you got up this morning
- whether you had a shower
- whether you shaved
- whether you brushed your teeth
- whether you lost your keys
- whether you were late
- whether you've had a quarrel with your boyfriend/girlfriend

2 Now ask your partner about his or her personal habits.

Tu as l'habitude de:

- perdre ton passeport?
- manger trop de chocolat?
- te disputer avec tes parents?
- te coucher après quatre heures du matin?
- boire trop de vin ou de bière?
- échouer à tes examens?
- ne pas entendre le réveil le matin?

In this unit you will be practising talking about leisure interests and pursuits, and discovering what to say if you are invited out or want to invite someone out yourself.

You will also be revising when to use *vous* and when to use *tu* and learning how to use direct and indirect object pronouns in the correct order.

1 C'est mon anniversaire

Ecoutez l'enregistrement et répondez aux questions.

Allô, oui, Freddie? Bonjour, Freddie. Comment ça va? Oui, ça va bien, merci. Toute la famille va bien, oui. Ecoute, samedi, c'est mon anniversaire et on va fêter ça. Mes parents nous laissent la maison et ils sortent. C'est gentil, hein? Non, ils sont très raisonnables, mes parents. Moi aussi, bien sûr. Ben naturellement, tu es invité. Ça te dit? Tu n'es pas pris ce jour-là? Super. Je suis très contente. Combien de personnes? Oh, je sais pas, moi. Tous les copains de la Fac et puis les amis du Club de Sport. Oui, oui, ça va se passer le soir. On va commencer vers ... disons, huit heures? On va manger, on va danser un peu ... Ah non! Tu n'es pas obligé d'apporter ni à manger ni à boire! Mais écoute, tu sais ton nouveau CD ... comment s'appelle-t-il déjà? Tu l'as acheté quand tu étais en Angleterre la dernière fois ... Voilà! C'est ça. Ça te dérange de l'apporter? Ça ne te dérange pas? Tu es formidable. Un vrai ami. Tu veux être D-Jee ce soir-là? Oui, super! C'est sympa! J'accepte avec plaisir. Oui, bien sûr, tu peux venir un peu plus tôt pour installer l'équipement. D'accord. Oui. OK. A samedi, donc. Mais écoute, est-ce que tu as mon adresse? C'est appartement 3 bis, immeuble Beaulieu, 75 rue des Iles. ... Voilà, c'est ça. Et mon numéro de téléphone, au cas où, c'est le 67-56-28-92. Oui, c'est ça. Bien. On se voit bientôt. Merci, Freddie. Je t'embrasse.

Questions

La fête, c'est:

a quand?
b dans la maison de qui?
c Qui est invité?
d à quelle adresse?
e à quel numéro de téléphone?

orientation

c'est mon anniversaire	it's my birthday
on va fêter ça	we're going to celebrate that/ have a party
ça te dit?	do you fancy it?
ça te dérange de l'apporter?	do you mind bringing it?
tu n'es pas pris?	you're not busy/otherwise engaged?
disons ...	shall we say ...
tu n'es pas obligé de ...	you don't have to ...
ça ne te dérange pas?	you don't mind?
au cas où	just in case
je t'embrasse	all the best/lots of love (*lit.* I kiss you)

2 Invitations

A vous de faire la fête! Utilisez les phrases données dans la case. Invitez la personne qui est assise à côté de vous.

On va fêter ...
Je t'invite
Ça te dit?
C'est quelle journée?
Tu es pris(e) ce jour-là?
J'accepte avec plaisir
Vers quelle heure?
disons ...
Je peux apporter quelque chose?
Ah non! Tu n'es pas obligé(e) d'apporter quelque chose!
Ça te dérange d'apporter des CDs/du vin/un peu de fromage/un dessert?
Ça ne te dérange pas?
Quelle est ton adresse?
Quel est ton numéro de téléphone?
au cas où
je t'embrasse

Dépannage

Comment dit-on 'my engagement' en français? **[mes fiançailles]**
Excusez-moi ... est-ce qu'on peut dire 'nibbles' en français? **[des amuse-gueules]**
'A house-warming party' comment ça se dit en français? **[pendre la crémaillère]**

3 Racontez cela aux autres ...

Au cours de l'exercice 2, la personne à côté de vous vous a invité à une fête.
En utilisant les phrases données dans la case ci-dessous, racontez aux autres dans la classe ce qu'elle a dit.

Hier, j'ai eu un coup de téléphone de Gérard/Bob/Caroline (la personne à côté de vous)
Il/Elle fête son anniversaire/la fin des examens/son mariage
Il/Elle m'a invité
C'est samedi/jeudi prochain/le douze juin
C'est chez lui/chez elle/dans un club/dans un restaurant, vers ... heures
Je vais apporter de la musique/des fleurs/un dessert/du chocolat/un cadeau

4 Quand tu es déja pris ...

Ecoutez la cassette et répondez aux questions.

GASTON:	Salut, Jean-Louis, comment ça va? Ça fait un moment qu'on ne s'est pas vus!
JEAN-LOUIS:	Oui, c'est vrai. Ça va pas très bien en ce moment.
GASTON:	Ah! Pourquoi pas?
JEAN-LOUIS:	J'ai des examens, je passe tout mon temps à réviser.
GASTON:	Ah mon pauvre! Mais ça va bien se passer, tu verras!
JEAN-LOUIS:	Je ne sais pas. Enfin, je vais faire de mon mieux. Et toi, quoi de neuf?
GASTON:	Je viens de déménager – je partage un appartement avec Bruno maintenant.
JEAN-LOUIS:	Avec Bruno? Tu es fou?
GASTON:	Mais pourquoi? Il semble très sympa, Bruno. Pourquoi tu dis ça?
JEAN-LOUIS:	C'est un imbécile! Je lui ai prêté mon réveil, il ne me l'a jamais rendu!
GASTON:	J'imagine qu'il a dû oublier. Je vais le lui dire.
JEAN-LOUIS:	Ouais, c'est sympa. Je vais en avoir besoin le jour de l'examen.
GASTON:	D'accord. Mais écoute, je vais au match samedi, tu viens, hein?
JEAN-LOUIS:	Oui, je veux bien, mais samedi ... je regrette, je ne suis pas libre ce jour-là.
GASTON:	Tu es pris? Tu es sûr? Tu n'es vraiment pas libre samedi?
JEAN-LOUIS:	Non, je suis désolé, c'est l'anniversaire de mon frère et on sort manger.
GASTON:	Dommage, je suis déçu.
JEAN-LOUIS:	Ce sera pour une autre fois. Après mes examens peut-être.
GASTON:	D'accord. Bon ben, je te souhaite bon courage pour tes révisions.
JEAN-LOUIS:	Merci, Gaston. Ciao!

a Pourquoi Jean-Louis n'est-il pas en forme aujourd'hui?
b En quoi la vie de Gaston a-t-elle changé?
c Jean-Louis va-t-il aller au match avec Gaston samedi?

orientation

Je passe tout mon temps à ...	I'm spending my whole time ...ing.
faire de mon mieux	to do my best
tu es fou?	are you mad?
prêter	to lend
rendre	to give back
avoir besoin de quelque chose	to need something
Je vais en avoir besoin.	I'm going to need it.
Je regrette, je ne suis pas libre. **Je suis désolé(e), ...**	I'm sorry, I am not free.
Dommage!	Pity!
Je suis déçu(e).	I'm disappointed.
Je te souhaite bon courage.	I wish you good luck.

5 Tu es libre samedi soir?

Practise turning down invitations, diplomatically, in turns with your partner.

Invitation
- dîner
- cinéma
- concert
- sortir en groupe avec les copains

Prétextes pour refuser!
- me laver les cheveux
- révision
- rendre visite à mes parents
- fatigué(e) – me coucher très tôt

6 Lire

Lisez cette publicité d'une banque française qui veut attirer les jeunes. Elle offre à ses clients des réductions sur les prix de certains produits. Répondez aux questions.

TOUJOURS DES OFFRES EXCEPTIONNELLES AVEC ALLOPROJETS

RAPPEL: ALLOPROJETS est un service de la BNP réservé aux jeunes entre 16 et 25 ans – pour découvrir plus, rendez-vous dans une agence BNP ou appelez BNP En Ligne au 0 801 63 06 06

Préparez-vous à partir

1. Appareil photo KONICA EU MINI AF
Compact, rentre dans la poche. Autofocus. Focale 28 mm, flash et réducteur d'yeux rouges.
Dim. 110 × 61 × 3 cm.
Poids : 150 gr.
Prix public : 390€
ALLOPROJETS vous offre 100€
Complétez avec 290€

2. Lecteur laser portable THOMPSON LAD 860
Mémoire antichoc 40", renforcement basses, batteries rechargeables et adaptateur secteur.
Prix public : 590€
ALLOPROJETS vous offre 100€
Complétez avec 490€

3. Baladeur de musique DIAMOND RIO
Numérique format MP3
32 Mo de mémoire Flash stocke jusqu'à 60 mn. de musique.
Notice et logiciel en anglais.
Prix public : 1490€
ALLOPROJETS vous offre 300€
Complétez avec 1190€

Communication

1. **Le confort A PETIT PRIX!**
Carte téléphonique a moitié prix!!!!
Téléphonez à l'étranger, en province, vers un portable depuis tous les postes téléphoniques. Jusqu'à 46 minutes d'appel national ou 21 minutes d'appel vers un portable. Rechargeable.
Prix public : 50€
ALLOPROJETS vous offre 25€
Complétez avec 25€

2. **Coffret BOUYGUES TELECOM GOLD B415**
Compatible Son Digital Haute Résolution.
Portable Nokia avec horloge, réveil, répertoire, calculatrice et 3 jeux électroniques inclus.
Batterie NIMH. Autonomie en veille : 130 h. env.
Autonomie en communication : 3h10.
Prix public : 290€
ALLOPROJETS vous offre 290€

3. **Téléphone répondeur numérique THOMSON 6600 FD SANS FIL**
Répondeur numérique, 12mn. d'enregistrement avec sauvegarde analogique par technologie flash.
Prix public : 590€
ALLOPROJETS vous offre 100€
Complétez avec 490€

Instruments de musique

1. **Clavier CASIO CTK 411**
Clavier stéréo 49 touches standard, 100 sonorités et rythmes,
3 accompagnements automatiques, écran LCD (83 × 31 mm), sortie casque ou ampli.
Dim. 1050 × 370 × 180 mm
Prix public : 995€
ALLOPROJETS vous offre 200€
Complétez avec 795€

2. **Guitare Folk Millnolt's Tennessee Cut Away**
Manche réglable, dos et éclisses plaques acajou,
6 cordes métal. Livrée avec une housse.
Dim. 1030 × 400 × 120 mm.
Poids : 3, 2 kg.
Prix public : 499€
ALLOPROJETS vous offre 100€
Complétez avec 399€

3. **Guitare électrique Millnot's Rockford KL-90**
2 micros double bobinage, réglages de volume et tonalités, sélecteur micro 3 positions. Livrée avec ampli.
Dim. 1035 × 410 × 80 mm.
Poids : 4,8 kg.
Prix public : 1490€
ALLOPROJETS vous offre 300€
Complétez avec 1190€

a Pourquoi la banque a-t-elle choisi ces produits pour son offre spéciale? Que pensez-vous de son choix?

b Préparez-vous à parler de l'offre qui vous attire le plus. Présentez vos informations aux autres dans la classe. Par exemple:

L'offre qui m'attire le plus, c'est la guitare électrique. Ça fait cinq ans que je joue de la guitare et c'est une offre exceptionnelle avec ses deux micros double bobinage, réglage de volume (etc.) ... Le prix de 1.190 euros est très raisonnable ...

7 Je voudrais des renseignements, s'il vous plaît

- Allô, oui, Ecole Ailes Libres, bonjour.
- Ah oui, bonjour, madame, je voudrais des renseignements sur les activités proposées par votre association, s'il vous plaît.
- Oui, bien sûr. Eh bien, nous proposons des cours de delta, parapente et ULM.
- ULM, c'est Ultra-Léger-Motorisé, c'est ça?
- Oui, c'est ça. Vous êtes débutant?
- Comment? Excusez-moi, madame, je ne vous ai pas compris.
- Je vous demande si vous êtes débutant, c'est-à-dire, si c'est la première fois que vous faites ce genre de sport.
- Plus ou moins. J'ai fait un stage de delta en Angleterre.
- Quand est-ce que vous l'avez fait?
- Il y a deux ans.
- Et vous avez atteint quel niveau?
- J'ai fait à peu près 4 heures de vol.
- Et vous voulez vous perfectionner en delta ou vous préférez une autre activité?
- Je ne sais pas. Qu'est-ce que vous recommandez?
- Vous pouvez essayer l'ULM mais en initiation uniquement.
- Bien sûr. Quels sont les prix, s'il vous plaît?
- Bon, en ULM, vous pouvez faire un baptême de l'air, c'est 15 minutes avec un instructeur et cela vous coûte 46 euros.
- D'accord, c'est possible samedi prochain?
- Oui, samedi prochain, disons à onze heures du matin. C'est à quel nom?
- Carter, C-A-R-T-E-R.
- Très bien. A samedi prochain, M. Carter.
- Je vous remercie, madame. Au revoir.
- Au revoir.

Demander des renseignements
Je voudrais des renseignements sur …
Qu'est-ce que vous proposez …?
Excusez-moi, je ne vous ai pas compris.
Qu'est-ce que vous recommandez?
Je vous remercie, monsieur/madame.

***Tu* or *vous*?**
Although **tu** is commonly used straight away between young people talking to each other individually, it is safer to use **vous** until you get to know someone.
Vous is always used with older people, or people to whom you owe respect, strangers, waiters, people in offices or of whom you are asking information.
Vous is always used when addressing or referring to more than one person.

WATCH OUT! Once you start using **tu** with your friends, it is easy to forget and use **tu** inappropriately – with the waitress in the café or your boss! This could be considered highly impolite.

8 Jeux de rôle

En utilisant les informations données dans les exercices 6 et 7, jouez des jeux de rôle avec votre partenaire. Les phrases dans la case page 32 vous aideront à demander des renseignements. Utilisez 'vous' (au lieu de 'tu').

9 *Tu* or *vous*

How would you say:

a Can you bring me a beer, please? (to a waiter)?
b Are you free this evening? (to a close friend)?
c Sorry, I didn't understand you. (to an unknown person on the telephone)?
d What time are you thinking of going out this evening? (to a close friend)?

10 Lire

Je m'appelle Claude. Je vais vous raconter une histoire pas si drôle d'une de mes amies, Mélanie. Mélanie est adorable mais elle oublie toujours tout et elle perd régulièrement ses affaires. Elle a oublié son porte-monnaie dans la bibliothèque, son parapluie dans des grands magasins, son walkman dans le train, enfin bref, c'est un vrai cas, Mélanie. Un jour, je lui ai prêté quelques CDs. Quelle erreur – je ne les ai plus revus! Elle ne me les a jamais rendus. Je lui ai demandé plusieurs fois et c'est toujours la même réponse : "Ah oui, je m'excuse, je les ai à la maison, je vais te les apporter demain, je te le promets." Mais ça fait deux ans et je ne les ai toujours pas!

Répondez aux questions:

a Mélanie, qu'est-ce qu'elle perd régulièrement?
b Qu'est-ce qu'elle a oublié dans le train?
c Claude, qu'est-ce qu'elle lui a prêté?
d Est-ce que Mélanie les lui a rendus?
e Qu'est-ce qu'elle a promis?
f Claude les a récupérés finalement?

11 Ecrire

Ecrivez 8–10 lignes. Racontez l'histoire d'un livre/CD/équipement/vêtement que vous avez prêté à quelqu'un.

Extra!

12 Quand es-tu libre?

Vous essayez d'organiser une sortie. Vos collègues sont très occupés. Ecoutez leurs messages et remplissez la grille suivante.
Trouvez la soirée où tout le monde est libre et une activité que tout le monde aime bien.

	Nom	Libre quelles soirées?	Activités préférées
a	Etienne		
b	Nadia		
c	Brett		
d	Hélène		

13 Lire

A Lisez la lettre d'Antoinette à sa correspondante, page 35. Vrai ou faux? Attention! L'ordre des phrases ne correspond pas à celui de la lettre!

- **a** Antoinette écrit sa lettre le soir. (vrai/faux)
- **b** Le soir elle regarde toujours la télé. (vrai/faux)
- **c** Elle fait du ski dans les Alpes. (vrai/faux)
- **d** Elle reste au lit jusqu'à midi. (vrai/faux)
- **e** Une fois elle est rentrée à cinq heures du matin. (vrai/faux)
- **f** Elle a apporté ses cassettes pour écouter de la musique tout en skiant. (vrai/faux)
- **g** Elle est en vacances avec sa famille. (vrai/faux)

B Remplissez les blancs.

Antoinette est en ________________. Elle fait ________________.
On ________________ très bien et il y a une ________________ dans la ________________. Le soir, elle ________________ beaucoup et ________________ tard. C'est dur de ________________ le matin! Elle a ________________ pour ________________ de la musique sur les pentes.

se couche	le petit déjeuner	télévision	hiver
se lever	un baladeur	les Alpes	écouter
du ski	skier	mange	chambre
reste	sort	écoute	vacances

Chère Colette,

Je t'écris de Chamonix où je passe de magnifiques vacances dans les Alpes. Je fais du ski de fond et j'adore ça. Il fait un temps splendide et j'ai déjà beaucoup bronzé. L'hôtel est très confortable et tous les matins on nous apporte le petit déjeuner au lit, à midi et le soir on fait de repas supers. Je fais aussi un peu de ski alpin. La glisse, j'adore ça aussi, surtout quand la neige est bonne.

Mais, toi, qu'est-ce que tu fais de neuf? Tes examens sont terminés? Tu as acheté le lecteur laser portable que tu voulais? J'ai apporté mon baladeur et toutes mes cassettes - comme ça je peux écouter mes groupes préférés et skier en même temps. C'est formidable! Il y a une télé dans ma chambre mais je n'ai pas beaucoup de temps pour la regarder. Le soir, il y a bien entendu "l'après-ski". Je sors avec mes deux frères et ma sœur et on s'amuse beaucoup. On rentre généralement vers une heure du matin. L'autre soir, on est allés en boîte et on s'est couchés à cinq heures du matin. Comme il fallait se lever pour nos cours de ski à neuf heures, c'était un peu dur!

Bon, maintenant il faut que je te quitte car on frappe à la porte, cela doit être la serveuse qui apporte le petit déjeuner.

Je t'embrasse,

Antoinette

Grammaire

- **Object pronouns and where to put them**

There are two sorts of object pronouns in French:

1 Direct object pronouns

singular		plural	
me	me	**nous**	us
te	you	**vous**	you
le	it/him	**les**	them
la	it/her		

2 Indirect object pronouns

singular		plural	
me	to me	**nous**	to us
te	to you	**vous**	to you
lui	to him/her/it	**leur**	to them

Examples:

Je te le donne.	I'll give it to you.
Il les lui offre.	He's giving them to her.
Je le lui ai prêté.	I lent it to her.
Elle ne me l'a pas rendu.	She hasn't given it back to me.

- **Order of pronouns before the verb**

Generally, you follow this order: indirect object, direct object, **y** then **en**
E.g. **Il me les a donnés.** – He gave them to me.
BUT when both start with '**l**' the order is reversed, direct object comes before indirect object:
E.g. **Il les lui a donnés.** – He gave them to him.

1 **Indirect object** (that doesn't start with '**l**')	2 **Direct object**	3 **Indirect object** (that starts with '**l**')	4 **y + en**
me **te** **nous** **vous**	**le** **la** **les**	**lui** **leur**	**y en**

Two other useful pronouns: **y** and **en**
y is used to replace expressions beginning with **à** (**au**, **à la**, **à l'**, **aux**)
Je vais <u>au</u> cinéma. – J'<u>y</u> vais.

en is used to replace expressions beginning with **de** (**du**, **de la**, **de l'**, **des**)
Je veux <u>du</u> café. – J'<u>en</u> veux.

Exercices de grammaire

1 Match the questions with the answers:

1 Tu es déjà allé à Paris?
2 Il mange des escargots?
3 Tu as des frères?
4 Elle t'a rendu les CDs?
5 Tu veux du thé?
6 Ont-elles acheté du vin?

a Oui, j'en veux.
b Elle me les a rendus hier.
c Non. Je veux y aller.
d Elles en ont acheté deux bouteilles.
e J'en ai deux.
f Il en a déjà mangé.

2 Rewrite the sentences, putting the object pronouns in their correct order.

Example: **J'ai donné les fleurs du jardin à Martine.**
Je lui ai données. – les
Je les lui ai données.

a Il me pose les questions sur la feuille.
Il me pose. – les

b Elle nous donne les skis qu'ils ont utilisés l'année dernière.
Elle nous donne. – les

c J'ai prêté mon pantalon à Jean.
Je lui ai prêté. – le/l'

d Il m'a rendu mon pantalon.
Il me a rendu. – le/l'

e Nous vous proposons ces vacances à prix réduit.
Nous vous proposons à prix réduit. – les

3 Make the above sentences negative.

e.g. **Je les lui ai données. – Je ne les lui ai pas données.**
(*Note* **ne … pas** goes around the pronouns and verb, or the pronouns and **avoir/être** with a perfect tense.)

4 Replace the nouns (underlined) with pronouns.

Example: **Je veux manger du gâteau Je veux en manger.**
(*Note* the position of the pronoun after the main verb and before the infinitive.)

a J'aime acheter des vêtements.

b Nous voudrions savoir la vérité.

c On va manger des hors d'œuvres.

d Il pense boire le vin rouge que mon père a recommandé.

Vocabulaire

The numbers refer to the exercises in this Unit.

1

Allô	Hello (on phone, only)
comment ça va?	how are things?
hein?	isn't it/don't you think?
un copain	friend, mate
une soirée	a party in the evening
apporter	to bring
ni ... ni	neither ... nor
à manger/boire	something to eat/drink
déjà	already
formidable	fantastic
un vrai ami	a real friend
tôt	early
3 **bis**	= English 3**a**
on se voit bientôt	we'll be seeing each other soon

2

C'est quelle journée?	What day is it on?
avec plaisir	with pleasure
Vers quelle heure?	About what time?
au cas où	just in case

3

un coup de téléphone	telephone call
un cadeau	present

4

Ça fait un moment qu'on s'est pas vus!	Long time, no see!
mon pauvre!	poor thing!
Quoi de neuf?	What's new with you?
partager	to share
sympa	nice
le réveil	alarm clock
ne ... jamais	never
vraiment	really
bon ben	well then

6

la focale	focal length
le lecteur laser	CD-player
le renforcement basses	bass-boost
l'adaptateur secteur	mains adaptor
le baladeur	walkman
numérique	digital
Mo	MB/megabyte (o=octet=byte)
le logiciel	software
le portable	mobile phone
depuis	from
le son	sound
le coffret	boxed-set
l'horloge (*f*)	clock
le répertoire	phone-book
la calculatrice	calculator
l'autonomie (*f*)	battery-life
en veille	standby
en communication	talk-time
le répondeur	answerphone
sans fil	cordless
l'enregistrement (*m*)	recording
la sauvegarde	backup
le clavier	keyboard
la touche	key
la sonorité	tone
la sortie	output
le casque	headphones
la sortie ampli	line output
manche réglable	adjustable neck
le dos	back
les éclisses (*fpl*)	sides
l'acajou (*m*)	walnut
la corde	string
livré(e)	delivered
la housse	case
le micro double bobinage	double-wound pick-up
le réglage	control

7

une association	organisation
le parapente	paragliding
ULM	microlight aircraft
le débutant	beginner
il y a deux ans	two years ago
atteindre un niveau	to reach a level
le perfectionnement	advanced course
une initiation	beginner's course
un baptême	baptism, 'taster' flight

10

ses affaires (*fpl*)	her things/stuff
la bibliothèque	library
enfin bref	to cut a long story short
la même réponse	the same reply
je te le promets	I promise you

Avec un partenaire

1 You want to invite your partner out one evening but you are not sure whether they will agree. Say:

- Hello, how are you?
- We're (use **on**) going to the cinema this evening.
- Do you fancy going to the cinema, too?
- Round about 7.30–8 o'clock.
- The new James Bond film.
- Are you free at 6 o'clock?
- I want to invite you for a coffee – before the film.
- What is your address?
- ... and your telephone number – just in case?
- Good! See you later, then!

2 Your partner wants to invite you out but you have a prior engagement. Say:

- I'm fine.
- When is it?
- Next Saturday! Oh no, sorry, I'm already engaged.
- Yes, really, it's Sarah's birthday and we're having a party.
- I'm taking my CDs and something to eat.
- We'll do it another time. Are you free on Sunday?
- OK, what do you want to do?
- I'll call you on Sunday morning.
- See you soon.

Avec un partenaire

1 Your partner wants to invite you out one evening. This is what you say:

- Hello, I'm fine.
- To the cinema, that's a good idea.
- I'd like that very much. What sort of time?
- What film are they showing?
- Yes, I finish work at 5 o'clock this evening.
- I accept with pleasure.
- My address is …
- My telephone number is …
- OK! See you later!

2 You want to invite your partner out – see what he/she says. Say:

- Hello, how are you?
- I want to invite you to a party.
- Saturday evening.
- Really? You're really not free next Saturday?
- Do you really have to go?
- What a shame! I'm really disappointed.
- Yes, I'm free on Sunday.
- I'd like to go out walking.
- OK, yes, call me on Sunday morning.
- See you on Sunday!

The main purpose of this unit is to enable you to talk about past experiences, including your professional development, with greater ease and flexibility, and to give your opinion and agree or disagree with someone.

You will also be learning when and how to use the imperfect tense and time expressions in French.

1 Je n'étais pas très heureuse

Ecoutez. Je vais vous raconter un peu ma vie. Je m'appelle Géraldine Sakellis. Mon père est grec et ma mère est belge et j'ai passé ma jeunesse à Bruges en Belgique. J'ai quitté l'école très jeune – à 16 ans. Je n'aimais pas mes professeurs, je détestais le travail scolaire et je voulais gagner ma vie. J'ai commencé à travailler comme secrétaire dans une société qui fabrique des meubles et j'ai continué à vivre chez mes parents. J'avais assez d'argent pour m'amuser, pour sortir en boîte et aller au ciné le soir. Je me suis mariée aussi très jeune, à 19 ans, avec un employé de la même société.

Après un certain temps, pourtant, j'ai commencé à m'ennuyer. Je n'étais pas heureuse. Je voulais faire autre chose. L'année dernière, j'ai décidé de suivre des cours du soir et de préparer le bac que j'ai d'ailleurs réussi. Puis j'ai commencé des études de commerce à l'Université de Mons-Hainaut. Ça n'est pas facile – pas du tout. Mais maintenant j'ai le sentiment de gérer ma vie, vous comprenez? En sortant de l'université, j'espère monter ma propre entreprise. J'ai déjà une expérience professionnelle et à l'université, j'apprends tout sur la finance, le marketing et la distribution des produits. J'ai bon espoir de réussir et je ne regrette pas vraiment d'avoir quitté l'école à 16 ans sans diplôme. De nos jours on parle beaucoup de formation continue et je suis pour! Voilà!

orientation

Completed actions in the past

J'ai quitté l'école ... J'ai commencé à travailler	I left school ... I started to work ...

Descriptions in the past

Je n'étais pas heureuse ...	I wasn't happy ...
Je n'aim<u>ais</u> pas ... Je voul<u>ais</u> ...	I didn't like ... I wanted to ...
gagner ma vie	to earn my living
après un certain temps	after a while
pourtant	yet, however
J'ai commencé à m'ennuyer.	I started to get bored.
J'ai le sentiment de gérer ma vie.	I feel in control of my life.
en sortant de l'université	when I leave university (*lit.* on coming out of the university)
J'ai bon espoir de ... (+ infinitive)	I have high hopes of ... ing
monter sa propre entreprise	to set up one's own business

2 Questions sur le texte (page 41)

1 Le nom de Géraldine (Sakellis) est un nom
- **a** français.
- **b** belge.
- **c** grec.

2 Elle a quitté l'école
- **a** à 18 ans.
- **b** à 16 ans.
- **c** trop jeune.

3 Elle
- **a** a travaillé dans un hôpital.
- **b** a continué à vivre chez ses parents.
- **c** s'est mariée à 18 ans.

4 Elle
- **a** ne regrette rien.
- **b** regrette d'avoir quitté l'école.
- **c** regrette la décision de reprendre ses études.

5 Elle espère
- **a** voyager.
- **b** réussir dans le commerce.
- **c** devenir secrétaire.

3 Décisions, décisions …

Je n'étais pas heureux/heureuse
Je m'ennuyais
Je n'aimais pas …
Je voulais …

J'ai décidé de …
J'ai commencé à …

En sortant de l'université, j'espère …
J'ai bon espoir de …

Avez-vous pris une décision importante?
Racontez votre biographie à votre partenaire ou à la classe!

4 Qu'en pensez-vous?

Ecoutez les opinions suivantes. Et vous, êtes-vous pour ou contre les ordinateurs?

– On parle beaucoup aujourd'hui de la formation continue. Qu'en pensez-vous?
– A mon avis, la révolution technologique l'exige.
– Mais il y a toujours eu des révolutions ...
– Oui, mais l'évolution est beaucoup plus rapide.
– Dans quels domaines?
– Prenons par exemple les machines à traitement de texte. Dans la société moderne, on est obligé de savoir comment ça marche.
– Et pour cela il faut être formé?
– Ah oui, je pense. Je considère qu'il faut avoir des compétences technologiques.
– Vous avez raison. Mais je ne suis pas tout à fait d'accord avec vous.
– Ah! Pourquoi?
– L'important pour moi, c'est d'avoir acquis d'autres compétences.
– Alors là, vous avez tort. Maintenant tout passe par l'informatique.
– Absolument pas! On n'apprend pas à conduire une voiture, à jouer au foot ou à jouer de la guitare par ordinateur.
– Mais vous acceptez quand même que l'informatique est indispensable?
– Oui, mais, à mon sens, c'est nous qui gérons les ordinateurs et non pas les ordinateurs qui nous gèrent. Un point, c'est tout!

orientation

Qu'en pensez-vous?	What do you think?
A mon avis .../A mon sens ...	In my opinion ...
Je pense que ... Je trouve que ... Je considère que ...	I think ...
Je ne ne suis pas tout à fait d'accord	I don't quite agree
L'important pour moi, c'est ...	The important thing for me is ...
Prenons par exemple ...	Let's take, for example ...
Vous avez raison.	You're right.
Vous avez tort.	You're wrong.
Je suis pour/contre!	I'm for/against it!
Absolument pas!	No, no, no, no, NO!
Un point, c'est tout!	And that's final!

5 A mon avis

En groupe ou en classe, exprimez vos opinions sur le thème du rôle des ordinateurs dans la vie.

6 Lire

Il faisait très chaud ce soir-là et, sur la place, les terrasses des cafés étaient vives de couleur et de mouvement. Il y avait beaucoup de monde. Les garçons se dépêchaient d'une table à l'autre, apportant des glaces et des boissons fraîches.

Kaleb était fatigué. Il travaillait très tard à cette époque. Il avait un projet à terminer et souvent il quittait son bureau vers neuf heures du soir. D'habitude, il rentrait directement à la maison pour se préparer quelque chose à manger. Quelquefois, les collègues l'invitaient chez eux ou bien il allait au cinéma pour se distraire. Il adorait les films de Bruce Lee.

Mais ce jour-là, il a decidé de se marier. Il s'est dit: je suis très solitaire, je ne fais que travailler, j'ai besoin d'une amie! Et, en regardant autour de lui, ses yeux sont tombés sur une jeune collègue qui était très intelligente, jolie et qui riait beaucoup. Il l'a invitée à prendre un pot. Elle a accepté. Ils se sont fixé un rendez-vous dans un des cafés de la place Sainte-Eulalie.

Kaleb est arrivé le premier. Il s'est assis et il a commandé une bière. Il allait justement en commander une deuxième quand Josiane est arrivée, souriante et belle comme une fleur.

'Mademoiselle! Je suis ravi! Qu'est-ce que vous prenez?'

Questions

a On est en quelle époque de l'année? C'est l'hiver, le printemps, l'été, l'automne?
b Comment le sait-on?
c Pourquoi les garçons se dépêchaient-ils?
d Pourquoi Kaleb était-il fatigué?
e Que faisait-il normalement à la fin de la journée?
f Pourquoi se trouvait-il sur la terrasse d'un café ce jour-là?
g Qui est arrivé le premier?
h Qu'a-t-il commandé à boire?
i Josiane, comment était-elle?
j Qu'est-ce qu'elle a pris comme boisson, à votre avis?

7 Je travaille rarement le soir

Ecoutez le dialogue et répondez aux questions.

– Vous rentrez chez vous d'habitude vers quelle heure le soir?
– Normalement vers six heures du soir.
– Et vous continuez à étudier après le repas du soir?
– Non, je travaille rarement le soir. Si je travaille le soir, je n'arrive pas à dormir après.
– Vous sortez donc ou vous restez à la maison à regarder la télé?
– D'habitude, je fais le ménage, mais quelquefois je sors.
– Vous allez souvent en discothèque?
– Jamais! Je ne vais jamais en discothèque mais par contre je vais assez souvent au cinéma, disons deux fois par mois.
– Et vous pratiquez un sport?
– Non. Je n'aime pas les sports collectifs mais je fais de la natation, ça oui, une fois par semaine, tous les lundis, je vais nager.

1 Pourquoi l'interlocuteur n'étudie-t-il pas le soir?
2 Quand il sort le soir, où va-t-il?
3 Que fait-il le lundi soir?

orientation

Qu'est-ce que tu fais/vous faites d'habitude le soir?	What do you usually do in the evening?
tous les jours/soirs	every day/evening
le vendredi/tous les vendredis	every Friday
une fois par jour/semaine/mois/an	once a day/week/month/year
d'habitude/normalement	usually
(assez) souvent	(quite) often
quelquefois	sometimes
rarement	rarely
jamais	never

8 Questions/réponses

Posez les questions de l'exercice 7 à votre partenaire. Utilisez 'tu' ou 'vous'.
Posez chaque question à tour de rôle:

1
Tu rentres chez toi d'habitude vers quelle heure le soir?
Vous rentrez chez vous d'habitude vers quelle heure le soir?

2
Et tu continues à étudier après le repas du soir?
Et vous continuez à étudier après le repas du soir?

3
Tu sors ou tu restes à la maison à regarder la télé?
Vous sortez ou vous restez à la maison à regarder la télé?

4
Tu vas souvent en discothèque?
Vous allez souvent en discothèque?

5
Et tu pratiques un sport?
Et vous pratiquez un sport?

9 Sondage – vas-tu souvent au cinéma?

Demandez aux autres dans la classe. Que font-ils le soir?
Notez leurs réponses – 'jamais', 'rarement', 'quelquefois', 'souvent', 'le lundi' etc. – dans la grille suivante.

Nom	Sport?	Cinéma?	Discothèque/ Club?	Autres?

Notre Dame, Paris

10 Lire

La vie personnelle d'un étudiant n'est pas aussi facile qu'on peut l'imaginer. D'abord, ils ont souvent beaucoup de devoirs à faire le soir. En plus, sortir coûte cher et ils ont des moyens financiers restreints. La plupart des étudiants sortent rarement pendant la semaine et une fois le week-end, chez des amis ou au cinéma. Certains font du sport – les équipements universitaires sont généralement bons et il existe des associations sportives qui organisent des matchs. Mais contrairement à une idée largement répandue, les étudiants sont d'habitude très sérieux.

Synonymes

Trouvez dans la liste à droite le synonyme de chacun des termes de la liste à gauche:

1 devoirs	**a** presque jamais
2 moyens financiers restreints	**b** ce que les gens pensent
3 la plupart	**c** peu d'argent
4 rarement	**d** travailleur
5 une idée largement répandue	**e** la majorité
6 sérieux	**f** exercices écrits

11 Ecrire

Rédigez un texte semblable sur votre vie d'étudiant. Les questions suivantes vous aideront:

a Avez-vous une vie personnelle très active (ou avez-vous trop de devoirs)?

b Sortez-vous beaucoup pendant la semaine? Et le week-end?

c Que faites-vous quand vous sortez?

d Pratiquez-vous un sport?

e Etes-vous un étudiant sérieux?

12 Décisions et opinions

a Pour chaque locuteur cochez la case qui indique le type de décision prise.

Locuteur	Interruption de carrière	Mariage	Déménagement	Voyage
1 M. Duval				
2 Mme Baret				
3 M. Kambo				
4 Mme Petit				

b Cochez cette fois si chaque locuteur a une réaction positive ou négative sur l'alimentation obtenue par manipulation génétique.

Locuteur	Tout à fait d'accord	Absolument pas	Plutôt pour	Plutôt contre
1 M. Duval				
2 Mme Baret				
3 M. Kambo				
4 Mme Petit				

13 Lire

France Télécom : des idées à suivre

Avec le tarif réduit de France Télécom : profitez des meilleures heures !
Pour téléphoner tranquillement à ceux que vous aimez aux heures où vous êtes le plus disponible et économiser jusqu'à 50% sur vos communications, c'est très simple : passez vos appels (en France métropolitaine) de 19h à 8h en semaine et tous les jours fériés. Vous économiserez 50% aussi bien sur vos communications locales dans votre ville et ses alentours que sur vos communications nationales.

Pour vos appels à l'étranger, vous économiserez en moyenne 20% avec les mêmes horaires de tarif réduit.

Pour plus d'informations, contacter votre agence France Télécom en composant le 10 14 de chez vous (appel gratuit).

France Télécom ®

Scan the advertising feature and write down:

a when you get a 50% reduction on phone calls
b whether this is just nationally, or locally as well
c what the reduction is if you are phoning abroad.

Grammaire

The imperfect tense

The imperfect tense is formed in French by taking the stem from the **nous** form of the present tense and adding these endings: **-ais, -ais, -ait, -ions, -iez, -aient**.

AIMER (nous **aim**ons)
j'aim**ais**
tu aim**ais**
il/elle/on aim**ait** nous aim**ions**
vous aim**iez**
ils/elles aim**aient**

FINIR (nous **finiss**ons)
je finiss**ais**
tu finiss**ais**
il/elle/on finiss**ait** nous finiss**ions**
vous finiss**iez**
ils/elles finiss**aient**

VENDRE (nous **vend**ons)
je vend**ais**
tu vend**ais**
il/elle/on vend**ait** nous vend**ions**
vous vend**iez**
ils/elles vend**aient**

VOULOIR (nous **voul**ons)
je voul**ais**
tu voul**ais**
il/elle/on voul**ait** nous voul**ions**
vous voul**iez**
ils/elles voul**aient**

AVOIR (nous **av**ons)
j'av**ais**
tu av**ais**
il/elle/on av**ait** nous av**ions**
vous av**iez**
ils/elles av**aient**

ATTENTION! ÊTRE (nous sommes)
j'ét**ais**
tu ét**ais**
il/elle/on ét**ait**
nous ét**ions**
vous ét**iez**
ils/elles ét**aient**

The imperfect is used to express: 'used to', 'was …ing', and also to give general descriptions or background in the past. This contrasts with the perfect tense which is used to express a completed action or the next event in a story, e.g.

- **Il faisait beau, le soleil brillait et on se bronzait à la plage.**
  It was beautiful weather, the sun was shining and we were sunning ourselves on the beach.
- **Tout d'un coup, deux gendarmes sont arrivés. Ils nous ont informés que ceci n'était pas une plage naturiste!**
  Suddenly two policemen arrived. They informed us this wasn't a nudist beach!

Expressions of time

d'habitude usually **rarement** rarely **généralement** generally
jamais never **souvent** often **tous les jours** every day
quelquefois sometimes **le samedi, tous les samedis** every Saturday
très peu very little **une fois par semaine/mois/an** once a week/month/year

Exercices de grammaire

1 List the tasks you used to do when you were the office dogsbody:
Example: **répondre au téléphone**
Je répondais au téléphone.

a prendre des messages pour tout le monde
b chercher les sandwichs
c faire la vaisselle
d ranger des papiers
e vider les corbeilles et les poubelles
f faire des photocopies
g réparer la machine à photocopier
h remplir le distributeur de boissons
i organiser les voyages d'affaires
j rentrer toujours très tard le soir

2 Translate into French, using the vocabulary list on page 52 to help you:
a I used to like my teachers.
b He was finishing his evening meal when the telephone rang.
c They used to sell newspapers but they don't any more.
d It was very hot weather.
e She had three daughters.
f They were at the beach.
g He wanted to go abroad.
h We were not happy.
i You were taking a very important decision.
j She used to hate doing her homework.

3 Sort out the jumbled dialogue below so that it makes sense:
a Non, très peu. Je regarde la télé.
b Vers six heures du soir.
c Tu ne sors pas?
d D'habitude, je prépare à manger et je dors.
e A quelle heure rentres-tu à la maison?
f Et que fais-tu normalement?

4 **Using time expressions**

rarement souvent une fois par semaine le samedi

Make up eight sentences about THEN and NOW using the time expressions above.

Example: **Quand j'étais jeune, j'allais rarement au cinéma. Maintenant j'y vais assez souvent.**

Vocabulaire

The numbers refer to the exercises in this Unit.

1

vous raconter ma vie	to tell you about my life
ma jeunesse	my youth
une société	firm, company
fabriquer	to manufacture
des meubles (*mpl*)	furniture
un employé	employee
même	same
s'ennuyer	to get bored
monter sa propre entreprise	to set up your own business
le diplôme	qualification (*lit.* diploma, certificate)
la formation continue	continuing education

4

Qu'en pensez-vous?	What do you think (of it)?
la machine à traitement de texte	word-processor
quand même	all the same
l'informatique	I.T.
gérer	to manage, control

6

vif/vive de	lively/alive with
des boissons fraîches	cold drinks
se distraire	to amuse/distract oneself
se marier	to get married
solitaire	lonely
Je ne fais que travailler	All I do is work
en regardant autour de lui	looking around him
riait (*from* rire)	laughed/was laughing
prendre un pot (*familiar*)	to go for a drink
commander	to order
ravi	delighted
Qu'est-ce que vous prenez?	What will you have to drink?

7

vers quelle heure?	at about what time?
je n'arrive pas à dormir	I can't sleep
le ménage	housework
disons	about … / shall we say …
les sports collectifs	team sports

10

coûter	to cost
des moyens financiers restreints	restricted financial means
la plupart	most
contrairement à une idée largement répandue	contrary to popular/ widespread opinion
sérieux	hard-working

13

profiter de	to make the most of
disponible	free, available
jusqu'à	up to
les jours fériés (*mpl*)	public holidays
les alentours (*mpl*)	surroundings
à l'étranger	abroad
en moyenne	on average
les mêmes horaires	the same timetables
composer	to dial
gratuit	free

Verbs (Grammar Ex. 2.)

aimer	to like
finir	to finish
vendre	to sell
faire chaud	to be hot (weather)
vouloir	to want
prendre	to take
détester	to hate

Avec un partenaire

1 Ask your partner about his or her school days. Use the imperfect tense.

- heureux/euse?
- aimer tes/vos professeurs?
- détester le travail scolaire?
- vouloir quitter à 16 ans?
- vouloir gagner ta/votre vie?

2 Ask about his or her work experience. Use the perfect tense.

- déjà travaillé?
- commencé à quel âge?
- quel genre de travail?

If your partner has had no work experience, ask what he/she wants to do.

3 Now swap roles. Your partner will ask for your opinion on the following. Say what you think about:

- the French stick loaf (by comparison with the typical British loaf)
- chocoholics
- computers

Avec un partenaire

1 Be ready to answer your partner's questions about your school life. Use the imperfect tense.

- Were you happy?
- Did you like your teachers?
- Did you hate schoolwork?
- Did you want to leave at 16?
- Did you want to earn your living?

2 Answer questions about your work experience. Use the perfect tense.

- Already had a job?
- What age did you start?
- What type of work?

3 Now swap roles. Ask what your partner thinks of the following things, giving your opinions too.
Are you for or against? – **Etes-vous pour ou contre?**

- la baguette française (par rapport au pain typiquement britannique)
- les chocomaniaques
- les ordinateurs

5 Le partenaire idéal

The main purpose of this unit is to enable you to describe people, to understand descriptions of places and to make comparisons, stating preferences and interests. You will also be revising adjectives, adverbs and the modal verbs *devoir, pouvoir, savoir* and *vouloir* and learning the comparison of adjectives and adverbs.

1 J'ai les cheveux courts

Eh bien. Je m'appelle Sandrine. J'ai dix-neuf ans. J'ai les cheveux courts, bouclés et bruns. J'ai les yeux marron, marron-vert. Aujourd'hui, je porte un chemisier et une jupe rose et un gilet blanc. Je porte des lunettes et des boucles d'oreilles. Je ne suis pas très grande, je mesure un mètre cinquante-cinq. Je pèse cinquante-cinq kilos. Pour garder la forme, je fais de la gymnastique une fois par semaine et l'été, je joue au tennis. Je suis moins stressée après les sessions de gymnastique.

orientation

J'ai ... ans.	I'm ... years old.
J'ai les cheveux bruns/blonds/roux.	I have brown/blonde/red hair.
J'ai les cheveux courts/longs/bouclés/raides.	I have short/long/curly/straight hair.
J'ai les yeux marron.	I have brown (chestnut) eyes.
Je porte un chemisier/des boucles d'oreilles.	I'm wearing a blouse/ear-rings.
Je porte des lunettes.	I wear glasses.
Je suis grand(e), petit(e).	I'm tall/short.
Je mesure ...	My height is ...
Je pèse ...	My weight is ...
Pour garder la forme, je ...	To keep fit, I ...
moins stressé(e)	less stressed

Describe one of the girls in the pictures above. Can your partner tell which one you are describing? For example, **Elle a les cheveux longs/courts** etc.

2 Je ne suis pas très grande

J'ai … ans
J'ai les cheveux …
J'ai les yeux …
Je porte …
Je suis grand(e)/petit(e)
Je mesure …
Je pèse …
Pour garder la forme, je …

Dépannage

Comment dit-on 'bald' en français? [**chauve**]
'I don't know how much I weigh (in kilos)!' Comment ça se dit en français?
[Je ne sais pas mon poids en kilos]
Quel est l'équivalent de 10 stone 6 en kilos?
Quel est l'équivalent de 5 foot 8 en mètres?

1

height/la taille	
Feet and inches	(approx.) Mètres
1"	2,54 cms
3"	7,62 cms
3'0"	91,5 cms
4'0"	1m22
4'6"	1m37
5'0"	1m52
5'3"	1m60
5'6"	1m68
5'9"	1m75
6'0"	1m83
6'3"	1m91

2

weight/le poids	
Stones	(approx.) Kilos
1	6,35
7	44,5
8	51
9	57
10	63,5
11	70
12	76
13	82,5
14	89
15	95

a Faites vos descriptions, avec votre partenaire.
Exemple:
J'ai … ans, j'ai les cheveux …, je mesure, je pèse etc.

b Prenez des notes.

c Racontez les détails personnels de votre partenaire aux autres dans la classe.
Exemple:
Yannis/Sophie a vingt-deux ans. Il/Elle a les cheveux blonds … etc.

3 Personne-mystère

Choisissez une personne dans la classe. Décrivez-la. Aux autres de décider qui c'est. (Note that **personne** is feminine, so use **elle,** even if the person is a man!)

La personne-mystère est très jolie.
Elle a vingt ans (ou vingt-deux ans maximum!).
Elle porte un chemisier rouge et une jupe courte, noire.
Elle n'est pas très grande et elle ne pèse pas beaucoup!
C'est la professeur!

4 Tu le connais?

Martin and Sophie are at a party. They are talking about a mutual acquaintance.

– Regarde, Martin, tu vois ce garçon là-bas?
– Lequel? Le brun, avec la boucle d'oreille?
– Non, non! Le grand avec les lunettes.
– Ah! Gaston!
– Oui, tu le connais?
– Bien sûr, il travaille dans le même bureau que moi.
– Il est sympa?
– Très intelligent, spirituel, mais ce n'est pas mon genre!
– Tu les aimes plus musclés peut-être?
– Absolument. Il te plaît, donc, Gaston?
– Je le trouve très beau et il me regarde!
– Ah oui, tu as raison! Vous devriez sortir prendre un pot ensemble.
– Oh, pas si vite! Mais tu peux peut-être nous présenter …
– Bonne idée. Eh oh, Gaston! Viens là, je veux te présenter Sophie …

orientation

Très intelligent, spirituel, mais ce n'est pas mon genre!	Very intelligent, witty, but he's not my type!
Tu les aimes plus musclés, peut-être?	You like them better built/more muscular perhaps?
Il/Elle me plaît.	I like (fancy) him/her.
Je le/la trouve très …	I find him/her very …
Vous devriez … (+ infinitive)	You ought to …
Tu peux … (+ infinitive)?	Can you …?
Je veux te présenter …	I want to introduce you to …

5 Femme/homme idéal(e)

Parlez avec votre partenaire de votre femme/homme idéal(e). Vous pouvez commencer par des vedettes, comme Brad Pitt, Gérard Depardieu ou Juliette Binoche.

6 Lire

La destination de vacances idéale

Située à 12 kilomètres de Perpignan, à proximité de l'Espagne, CANET-PLAGE est une station balnéaire classée, bénéficiant de nombreux privilèges qui lui assurent un succès toujours plus grand.

Une grande plage de sable fin, six postes de surveillance avec douches, du soleil en toute saison, CANET-PLAGE est l'endroit idéal pour des vacances en famille, en groupe ou en couple.

Avec des installations pour tous les sports aquatiques et terrestres : voile, pêche en mer, natation, tennis etc., la région de CANET-PLAGE est aussi très riche en curiosités : monuments d'art roman, paysages de montagne, stations de sports d'hiver, grottes souterraines.

Avec son climat plus beau, sa population plus accueillante et ses attractions plus variées que beaucoup d'autres stations balnéaires, CANET-PLAGE reste la destination de vacances idéale.

Vrai ou faux?

Lisez le texte sur Canet-Plage et dites si les phrases suivantes sont vraies ou fausses:

a Canet-Plage se situe près de l'Italie.

b Elle accueille de plus en plus de visiteurs chaque année.

c Il n'y a pas de surveillance sur la plage.

d On y trouve des activités pour tout le monde: enfants, jeunes adultes, personnes plus âgées ...

e Il y a très peu à faire pour les touristes qui n'aiment pas la plage.

f C'est la destination idéale pour les amateurs de sports aquatiques.

g Il fait du soleil toute l'année.

7 Tu ne veux pas lui téléphoner?

Martin is asking Sophie about her first date with Gaston ...

– Alors! Toi et Gaston, vous êtes sortis prendre un pot ensemble?
– Ouais, une catastrophe!
– Ce n'est pas vrai. Pourquoi?
– Il veut sortir sans arrêt. Il est plus souvent dans les bars que moi et les sports qu'il pratique sont trop énergiques pour moi.
– Et il s'habille moins élegamment, et va moins souvent au cinéma, c'est ça?
– Ouais, c'est ça. Bref, ce n'est pas mon genre.
– Ecoute, c'est un bon type, tu peux faire un petit effort quand même ...
– C'est à lui de faire un petit effort! Pas à moi!
– Vous vous êtes disputés?
– Oui. On s'est disputés.
– Mais ce n'est pas aussi sérieux que ça.
– Qu'est-ce que je dois faire maintenant?
– Tu ne veux pas lui téléphoner? J'ai mon portable sur moi.
– OK. Je vais l'appeler. Tu as son numéro?

orientation

sortir sans arrêt	to go out all the time
s'habiller moins élégamment	to dress less elegantly
aussi sérieux que	as serious as
Qu'est-ce que je dois faire?	What must I do?
Tu peux faire un effort.	You can make an effort.
Tu veux lui téléphoner?	Do you want to phone him?
Je vais l'appeler.	I'm going to ring him.

8 Qu'est-ce que je dois faire?

- Vous êtes la personne qui attend dans le café.
- Un(e) autre ami(e) arrive (votre partenaire).
- Expliquez la situation. A votre partenaire de vous donner un conseil!
- Utilisez les expressions de l'exercice 7 et celles données dans la case 'Orientation' pour vous aider.

Qu'est-ce que je dois faire?

9 Faites des comparaisons!

facile grand agréable serieux intéressant	meilleur

Exemple: **Un tigre/un chat**

Un tigre est plus grand/féroce/sauvage qu'un chat.
Un chat est moins grand/féroce/sauvage qu'un tigre.

a Londres/Canet-plage
b La natation/le ski
c Le français/les mathématiques
d Les Britanniques/les Français
e Le travail/les vacances
f La bière/le vin

10 Lire

Comment garder la forme

Pour garder la forme, vous devez faire au moins 20 minutes d'exercice trois fois par semaine. Ce n'est pas forcément du jogging ou du rugby. C'est plus facile que cela. Vous pouvez faire de la marche, du vélo ou de la natation, si vous préférez.

Et si vous pouvez marcher au lieu d'aller en voiture, ou prendre l'escalier au lieu de l'ascenseur, ce n'est pas une perte de temps.

Vous allez voir. Avec 20 minutes d'exercice trois fois par semaine, vous allez devenir plus énergique, moins stressé, et vous allez pouvoir vous concentrer mieux sur vos études.

Répondez aux questions.

a Combien d'exercice devez-vous faire pour garder la forme?
b Devez-vous faire un sport très dur?
c Qu'est-ce qu'on peut faire?
d Quelles habitudes doit-on adopter?
e Quels en sont les avantages?

11 Ecrire

Faites la comparaison entre la vie universitaire, la vie d'un lycéen, et la vie d'un employé. Rédigez un texte en mettant les phrases ci-dessous dans le bon ordre (commencez par **g**).

a Un étudiant moyen n'a que dix heures de cours par semaine.
b Il faut gérer son emploi du temps et apprendre l'autodiscipline.
c Normalement, on doit faire sa propre cuisine et sa propre lessive.
d Et il faut terminer les tâches avant la date-limite.
e On peut travailler à la maison ou dans la bibliothèque.
f Un employé doit rester au travail pendant 37 heures.
g La vie d'un étudiant est quelquefois plus dure que la vie d'un lycéen.
h On est plus responsable.
i Mais un étudiant est quand même plus libre qu'un employé.

12 Conseillez-moi!

Ecoutez chaque conseiller/ère donner des conseils différents concernant le problème de Stéphanie, qui travaille trop et n'arrive pas à dormir la nuit.
Cochez la bonne case pour chacun(e).

Locuteur	Exercice	Voyage	Sortir	Trouver un petit ami
1				
2				
3				
4				

13 L'étiquetage des aliments

Read the passage about genetically modified plants.

Vous avez le droit de savoir ce que vous mangez
Surtout quand c'est meilleur

Après plusieurs mois de discussions, l'Europe vient d'adopter la réglementation sur l'étiquetage des aliments contenant des plantes génétiquement modifiées. Nous saluons cette avancée, car nous pensons que les produits issus des biotechnologies doivent être étiquetés car ils présentent de nombreux avantages.

- Avantages pour la nature, avec ces pommes de terre qui se défendent naturellement, nécessitant moins d'insecticides.
- Avantages pour le consommateur, comme ces tomates qui ont été génétiquement modifiées afin d'allonger leur durée de conservation : elles conservent encore plus longtemps leur goût et leurs qualités nutritionnelles.
- Et pour la santé, avec des plantes qui auront un équilibre plus favorable en acides gras.
- Mais l'étiquetage n'est pas le seul moyen d'informer le consommateur. Nous nous engageons aussi à soutenir les efforts des industriels allant dans le sens d'une meilleure information du public, d'une plus grande clarté, d'une plus grande transparence.

MONSANTO

[© EURO RSCG BETC]

Answer the questions in English.

a Why do Monsanto think it is a good idea for genetically modified plants to be labelled (**étiqueté**)?

b What advantages do they allegedly bring: for nature? For the consumer?

c What else, apart from labelling, do Monsanto support?

Grammaire

- **Adjectives**

1 Adjectives agree in gender and number with the nouns they describe:

Elle n'est pas très grande. She is not very tall.
J'ai les yeux bleus. I have blue eyes.
Note that **marron** (brown) does not add an 's' in the plural:
J'ai les yeux marron. I have brown eyes.

2 Most adjectives come after the noun, but some very common ones come before it:

beau, bon, grand, gros, jeune, mauvais, meilleur, nouveau, petit, tel, vieux, vrai
Examples: **une grosse boîte, un jeune homme, un petit garçon, une vieille femme**

3 Some adjectives change in meaning depending on whether they come before or after the noun:

un grand homme a great man **un homme grand** a tall man
un chic type a good bloke **un type chic** a chic (elegant) bloke!
un vrai ami a real friend **une histoire vraie** a true story

- **Adverbs**

Adverbs go with verbs and tell you the way something was done: quickly, slowly, carefully and so on. Adverbs can be formed by taking the feminine form of the adjective and adding **-ment** (-ly):

lent – **lente** – **lentement** slowly; **soigneux** – **soigneuse** – **soigneusement** carefully

Sometimes, these are shortened, as in:

fréquent – **fréquemment** frequently; **élégant** – **élégamment** elegantly

- **Comparisons**

Comparisons are made by using **plus** (more) or **moins** (less) with adjectives and adverbs:

Il est plus grand que moi. He is taller than me.
Elle écrit moins vite que moi. She writes less quickly than me.

Note that 'better' is translated by **meilleur** (adjective) or **mieux** (adverb):

C'est un meilleur danseur. He's a better dancer.
Il danse mieux. He dances better.

- **Modal verbs**

The modal verbs are **devoir**, **pouvoir**, **savoir** and **vouloir**. (Look up the grammar summary on pages 157 and 160–2 for more on these verbs). Modal verbs are followed by an infinitive:

Je veux savoir. I want to know.

Note the word order in the negative with an object pronoun:

Il ne peut pas le faire maintenant. He can't do it now.

Exercices de grammaire

1 Translate the following, making the adjectives agree in number and gender:

a She is very tall.
b She has long dark hair.
c He has short blond hair.
d The whole family has blue eyes.
e My ideal man …
f My ideal woman …
g A short skirt
h Some blue shirts

2 **Before or after?**
Translate the phrases remembering to place the adjective before, or after, the noun as appropriate:

a a real friend
b a true story
c a large tin
d a better job
e a good bloke
f a young man
g a little girl
h a good meal

3 Turn the following adjectives into adverbs, by adding **-ment** to the feminine form:

a normal
b génétique
c général
d régulier
e énergique
f naturel

4 **Modal verbs**
Rewrite the following as sentences to make sense using the correct word order:

a le dois immédiatement tu faire
b pas y je aller ne veux
c manger pas ne escargots peut d' il
d demain veut y aller on
e pouvons tard le faire nous plus
f heures le doivent neuf ils à prendre

Vocabulaire

The numbers refer to the exercises in this Unit.

1

court	short
bouclé	curly
marron	brown
porter	to wear (or to carry)
un chemisier	blouse
une jupe	skirt
un gilet	cardigan
des lunettes (*fpl*)	glasses
des boucles d'oreille (*fpl*)	earrings
peser	to weigh
garder la forme	to keep fit

2

J'ai les cheveux (gris).	I have (grey) hair.
J'ai les yeux (verts).	I have (green) eyes.
petit	short
grand	tall

3

Décrivez-la. (= personne)	Describe the person.
joli	pretty
une jupe courte	a short skirt

4

là-bas	over there
même	same
le bureau	office
spirituel	witty
pas mon genre	not my type
plus musclé	more muscular
Il te plaît, donc?	D'you fancy him, then?
Il me regarde.	He's looking at me.
présenter	to introduce

5

une vedette	star (celebrity)

6

une station balnéaire	seaside resort
classé	listed
bénéficiant	enjoying
privilèges (*mpl*)	advantages
le sable fin	fine sand
poste de surveillance (*m*)	lifeguard station
l'endroit (*m*)	place
terrestre	ground-based
curiosités (*fpl*)	things of cultural interest
un paysage	landscape
grottes souterraines (*fpl*)	underground caves
accueillant	welcoming
accueillir	to welcome, receive

7

Une catastrophe!	What a disaster!
plus/moins souvent	more/less often
bref	in short, to cut a long story short
un bon type	a good sort, a nice bloke
quand même	all the same
Vous vous êtes disputés?	Have you had a quarrel?
le portable	mobile (phone)

10

au lieu de	instead of
l'escalier (*m*)	stairs
l'ascenseur (*m*)	lift
une perte de temps	a waste of time

13

l'étiquetage (*m*)	labelling
les aliments (*m*)	food
nous saluons	we welcome
le consommateur	consumer
afin de	in order to
allonger	to extend
durée de conservation (*f*)	shelf-life
acides gras (*mpl*)	fatty acids

Avec un partenaire

1 Ask your partner about their ideal man/woman:

a What age is he/she?

b What colour hair does he/she have? Long or short hair? Curly or straight hair?

c What colour eyes does he/she have?

d What weight is he/she?

e What height is he/she? Is he/she tall or short?

f What does he/she wear?

2 You are at a party and your partner is describing one of the young people above.

a Ascertain which of the girls/boys your partner is talking about!

b Say 'Yes, I know her/him, she/He is in my class'.

c Say 'She's/He's intelligent but not my type'.

d Ask if your partner fancies her/him!

e Say 'I'll introduce you'.

Avec un partenaire

1 Be ready to tell your partner about your ideal man/woman:

a What age is he/she?

b What colour hair does he/she have? Long or short hair? Curly or straight hair?

c What colour eyes does he/she have?

d What weight is he/she?

e What height is he/she? Is he/she tall or short?

f What does he/she wear?

2 You are at a party and you spot a girl/boy you like.

Start the conversation by saying 'You see that girl/boy over there?'.

- Describe which one you mean.
- Ask if she/he's nice.
- Say 'I think she/he's looking at me'.
- Say 'I think she/he's good-looking'.
- Say 'That's a good idea!'

6 Poser sa candidature

The main purpose of this unit is to enable you to give information about yourself, particularly in the context of applying for a temporary job abroad, and to understand written information, including small ads.

You will also be revising the expression of wishes and wants, and learning about relative clauses and demonstratives.

1 Poser sa candidature pour un poste

First, in the list on the right, find the English equivalent for the vocabulary items:

1	poser sa candidature pour un poste	**a**	an application form
2	le chef du personnel	**b**	closing date
3	c'est de la part de qui?	**c**	a fixed-term appointment
4	... à l'appareil	**d**	head of Human Resources
5	en quoi puis-je vous être utile?/ c'est à quel sujet?	**e**	to fax
		f	who is calling?
6	un CDD (= un contrat à durée déterminée)	**g**	how may I help you/what are you calling about?
7	plein temps		
8	un formulaire de candidature	**h**	name and address
9	la date limite	**i**	to apply for a post
10	faxer	**j**	full time
11	les coordonnées	**k**	... speaking

Now listen to Martin's conversation with Schmidt France, a multi-national electronics company.

SCHMIDT FRANCE: Schmidt France, bonjour.
MARTIN: Bonjour, mademoiselle, je voudrais parler avec votre chef du personnel, s'il vous plaît.
SCHMIDT FRANCE: Bien sûr, monsieur, c'est Mme Pilner, je vous la passe. C'est de la part de qui?
MARTIN: Martin Lecomte.

MME PILNER: Schmidt France, Mme Pilner à l'appareil, en quoi puis-je vous être utile?
MARTIN: Bonjour, Mme Pilner. Ici Martin Lecomte. J'ai vu votre annonce dans le journal ce matin. Je voudrais poser ma candidature pour le poste de traducteur.
MME PILNER: Vous savez que c'est un CDD?
MARTIN: Un contrat à durée déterminée, oui, je le sais. C'est un contrat de trois mois, n'est-ce pas?
MME PILNER: Oui, c'est ça. Mais c'est un plein temps, 35 heures par semaine. Vous avez un diplôme universitaire d'anglais?
MARTIN: Oui, j'ai une licence d'anglais de l'université de Nanterre.

MME PILNER:	Est-ce que vous avez déjà une certaine expérience professionnelle?
MARTIN:	Oui, j'ai fait plusieurs petits boulots et la traduction faisait partie de mes études universitaires.
MME PILNER:	Quelles sont vos références?
MARTIN:	Vous pouvez contacter les enseignants à l'université et j'ai des références aussi de l'Office de Tourisme de Paris. J'y ai travaillé en tant que guide touristique pour des anglophones.
MME PILNER:	Bon, on va vous envoyer un formulaire de candidature. La date limite des candidatures est fixée au 28 février. Pouvez-vous nous faxer vos coordonnées, s'il vous plaît?
MARTIN:	Bien sûr, madame. Je le fais tout de suite.

orientation

le traducteur	translator
plein temps/temps partiel	full time/part time
un diplôme universitaire	a university degree
l'expérience professionnelle	professional experience
des références	references
en tant que	as, in the capacity of

2 C'est de la part de qui?

Write out how you would say the following in French:

a I'd like to speak to ...
b I'll put you through. Who shall I say is calling?
c ... (your name) ... speaking.
d How may I help you?/What are you calling about?
e I saw your advertisement in the newspaper this morning.
f I'd like to apply for the post as a translator.
g Of course. I'll do it straight away.

3 Un job d'été

Work on the following role play with your partner (A and B).

You find an advertisement for a summer job [**un job d'été**], picking apples [**cueillir des pommes**] in 'Working Holidays' (published annually by the Central Bureau for Educational Visits and Exchanges in London). The following is the conversation you have when you role-play phoning La France Agricole to make enquiries.

B: France Agricole. Bernadette Garnier. How may I help you?
A: I saw your advertisement for summer jobs.
B: Ah, yes.
A: I would like to pick apples.
B: OK. You know it starts on the 15th September?
A: Yes, I know.
B: Can you fax your name and address?
A: Of course, I'll do it straight away.

4 Tu ne préfères pas celui-ci?

Anne-Marie and Jérôme are talking about a job Anne-Marie has applied for.

– J'ai téléphoné à propos du poste …
– Quel poste?
– Celui qui est paru dans le journal …
– Mmmm?
– Pour la société multinationale.
– Quelle société multinationale?
– MF et Partners …
– MF et Partners? Qu'est-ce que c'est que ça?
– C'est une société qui est 'réputée pour son sérieux et sa créativité'.
– Et le poste, c'est quoi?
– Secrétaire de marketing.
– Et celui que tu as vu hier?
– Ah non. J'ai contacté le chef du personnel, le poste est déjà pris.
– Tu ne préfères pas celui-ci?
– Qu'est-ce que c'est?
– 'Assistant administratif … vivacité, bilingue, organisé, à l'aise dans les relations publiques …'.
– Mmm. Peut-être. Fais voir un peu. Ah mais non. Organisé? … Rigueur? Tu plaisantes! Ce n'est pas pour moi, ça!
– Mais si! Tu es très organisée et, en plus, tu es presque bilingue!

5 Un job d'été en France?

Parlez avec votre partenaire des emplois qu'il, ou elle, a déjà eus et demandez-lui s'il, ou si elle, aimerait bien poser sa candidature pour le poste suivant:

> **EUROCAMP L'ÉTÉ**
>
> Votre profil : autonome, entreprenant, enthousiaste, avec un réel sens du contact ... et bien sûr, une bonne maîtrise de l'anglais.

6 Lire

> **RIGHT VISION – Assistant(e) du Directeur Général**
>
> **Right Vision *The Internet Appliances Company***
>
> Notre société est une Start-up dans le domaine de l'Internet, de dimension internationale et en fort développement.
>
> Basé(e) au siège européen, vous êtes rattaché(e) au Directeur Général : au-delà de la tenue d'un secrétariat classique, vous êtes directement impliqué(e) dans la gestion de certains dossiers ainsi que dans la préparation et la rédaction de documents pour des présentations, séminaires ou actions auprès de nos partenaires.
>
> Diplômé(e) de l'enseignement supérieur, vous possédez une très bonne maîtrise de l'anglais et des outils informatiques (Word, Excel, Powerpoint). Vous avez idéalement acquis une première expérience professionnelle en environnement high-tech, auprès d'un dirigeant. Disponibilité, qualités rédactionnelles, curiosité d'esprit sont les atouts pour réussir dans ce poste.
>
> Merci d'adresser votre dossier de candidature en indiquant la référence 212/LF à notre conseil : ALPHA CDI, 4 rue Berryer, 75008 Paris.
>
> Consultez notre Web :
> http://www.alphacdi.com
>
> *Carrières et Emplois*

Scan the passage above and extract the following information. If you can't guess the meaning from the context, check the vocabulary list at the end of the chapter.

a What job is advertised here?
b What duties would you have?
c What qualifications and experience are they looking for?
d What special qualities will the successful candidate have?

7 Je voudrais avoir quelques informations

– Right Vision, Service Personnel, bonjour.
– Bonjour, monsieur, je téléphone à propos de l'annonce parue dans le journal 'Carrières et Emplois'.
– C'est pour quel poste, s'il vous plaît? Nous proposons plusieurs postes en ce moment.
– Le poste d'Assistante du Directeur Général.
– Oui, bien sûr. La date limite pour les dossiers de candidature pour ce poste est le 14 février.
– Je voudrais avoir quelques informations supplémentaires, c'est possible?
– Bien entendu, que désirez-vous savoir?
– Je suis de nationalité britannique et diplômée de l'enseignement supérieur en Angleterre.
– Oui, très bien.
– Cela ne pose pas de problème?
– Pas du tout. Vous avez fait des études de français?
– Oui, pendant trois ans j'ai suivi des cours de français qui font partie de mon diplôme en Commerce International.
– Très bien. Nous exigeons une bonne maîtrise de l'anglais mais aussi des qualités rédactionnelles en anglais et en français.
– Je vois que vous êtes basé sur Sophia Antipolis. Est-ce qu'il y a beaucoup de déplacements?
– Non, non, c'est un poste qui se fait sur place ici en France.
– Très bien. J'ai un fils et je préfère ne pas voyager si c'est possible.
– Non, non, rassurez-vous, madame, vous n'êtes pas obligée de voyager.
– Très bien. Merci, je vous envoie tout de suite mon dossier de candidature.
– ... que j'attends avec impatience, madame! A bientôt, j'espère.
– A bientôt, monsieur, et merci.

orientation

Verbs followed by an infinitive
Je voudrais poser ma candidature pour – I wish to apply for ...
Que désirez-vous savoir? – What do you wish to know?
Je préfère ne pas voyager – I prefer not to travel.

Asking for information
Je voudrais avoir quelques informations supplémentaires, c'est possible?
I should like some more information about the job; is that possible?

Using relative pronouns to help describe things
le poste *qui* est paru dans le journal – the post which appeared in the paper
c'est un poste *qui* se fait sur place – it's a job which is done on the spot/here
***que* j'attends avec impatience** – which I look forward to receiving
(*lit.* 'which I await with impatience')

8 True or false?

Listen to Exercise 7 again and say whether the following statements are true or false:

a La candidate pose sa candidature pour le poste de Directeur Général.
b Elle a suivi des cours de français pendant trois ans.
c Une bonne maîtrise de l'anglais est essentielle.
d C'est un poste où il y a beaucoup de déplacements.

9 Rédiger un dialogue

With a partner, adapt the dialogue in Exercise 7 and apply for the job of your dreams!

10 Lire

Lettre de motivation

Mlle Catherine Nuttall
65 Heatherington Gardens
Bristol BS15 1ST

ALPHA CDI
4 rue Berryer
75008 Paris
Bristol, le 5 mai 2002

Réf: 12AP62

Messieurs

Suite à l'annonce parue dans le journal 'Carrières et Emplois' du 30 avril au 8 mai, concernant le poste d'Assistante du Directeur Général de Right Vision, veuillez trouver ci-joint mon dossier de candidature.

Comme vous pourrez le voir d'après mon curriculum vitae, j'ai le profil qu'il vous faut pour ce poste. Je suis bilingue anglais/français, ma mère est française mais j'ai eu ma scolarité en Angleterre. Je suis diplômée de l'enseignement secondaire et grâce à un stage en entreprise d'un an réalisé à Paris, j'ai déjà acquis une première expérience professionnelle en environnement high-tech. J'ai également une bonne maîtrise des outils informatiques.

J'éspère que ma candidature retiendra toute votre attention. Je suis disponible à partir du mois de juin et je me mets à votre disposition pour un éventuel entretien.

Dans l'attente de vous lire, je vous prie d'agréer, messieurs, l'expression de mes salutations les plus respectueuses.

C.Nuttall

11 Ecrire

Using Exercise 10 as a reference, write your own letter of application for a job working in a ski resort. Address it to the Agence Petits Jobs dans les Alpes, 23 rue Daumesnil, Paris 75005. Give details of any past experience in catering or reception work and of your competence with computer software.

Extra!

12 Ingénieur de vente pour un produit Internet

Ecoutez ce coup de fil dans lequel Bernard Fradin demande quelques informations sur un poste. Notez les informations en anglais.

Note down in English:

- what the post is
- what qualifications are required
- what special qualities are needed
- where the firm is based
- whether travel will be necessary
- what date the interviews take place.

13 Lire

Read the following advertisement and answer the questions in English. Use a dictionary as necessary. Note: **les partitions musicales** musical scores.

webMUSIC

Start-up, leader mondial sur son marché, basée à Lyon La Part-Dieu. Notre métier : la vente de partitions musicales sur Internet. Nous recrutons :

CHEF DE SERVICE

bilingue Anglais h/f

Vous encadrez une équipe de 20 personnes chargées de traiter les partitions musicales pour exploitation sur le net. Vous justifiez d'une expérience en management d'équipe, **vous connaissez impérativement la musique** et les outils informatiques.

Merci d'adresser lettre de motivation, CV, photo (retournée) et prétentions sous référence 04/2000 à E-RECRUE
58 rue Galliéni – 69424 Lyon Cedex 03
www.e-recrue.fr et **www.webmusic.com**

a What is the business of webMusic?
b What job are they advertising?
c Is it open to both men and women to apply? How do you know?
d Who will you be in charge of?
e What should you have experience of?
f What is an essential qualification?
g What should you send to E-Recrue?

Grammaire

- **Expression of wishes and wants**
  To express your wishes or wants, use one of the following verbs together with an infinitive:
  Je voudrais [I would like] **avoir** ...
  Je souhaite [I wish] **poser** ...
  J'ai envie de [I want] **manger** ...
  Je désire [I wish] **savoir** ...
  Je préfère [I prefer] (**ne pas**) **voyager** ...

- **Relative clauses**
  1 When 'who'/'which' is the subject of the relative clause, use **qui**:
  'The man who/that is in charge' 'The post which/that is available'
  L'homme qui est responsable Le poste qui est disponible

  2 When 'who'/'which' is the object of the relative clause, use **que/qu'**:
  'The man whom/that you met yesterday'/'The advertisement which/that he saw in the paper'
  L'homme que vous avez rencontré hier L'annonce qu'il a vue dans le journal.

  Note that, although you can omit the 'who'/'that' in English, you must always include **qui** or **que** in French.
  Note that **que** becomes **qu'** before a vowel.

- **Demonstratives**
  Demonstratives help you point out the thing you are referring to.

  1 There are demonstrative adjectives: **ce, cette, cet, ces** [this, that, these]:

  masculine: **ce poste**
  masculine beginning with a vowel or '**h**': **cet ingénieur**
  feminine: **cette annonce**
  plural (masculine and feminine): **ces directeurs**

  2 And demonstrative pronouns: **celui, celle, ceux** [this one/these ones]

	singular	plural
masculine	**celui**	**ceux**
feminine	**celle**	**celles**

  3 **-ci** and **-là** may be added to make the distinction between 'this one' and 'that one' clear:
  Je désire ce poste-ci. I want this job (here).
  Je désire celui-ci. I want this one.
  Il lit cette annonce-là. He's reading that advert (there).
  Il lit celle-là. He's reading that one.

Exercices de grammaire

1 Make sentences with the phrases below, expressing your desires and preferences. Use a different verb for wishing, wanting or preferring each time. Add **ne pas** as appropriate.

a … réaliser un stage en entreprise.
b … être basé(e) sur Paris.
c … voyager.
d … un formulaire de candidature.

2 Link each of the phrases on the left with a relative clause on the right, to make a correct sentence.

1 Je cherche le candidat
2 Pouvez-vous envoyer le formulaire
3 Il a lu l'annonce
4 C'est un CDD
5 Le 12 mars est la date limite
6 Il faut avoir l'expérience

a qui dure six mois.
b que nous précisons dans l'annonce.
c que vous mentionnez dans l'annonce.
d qui a paru dans *Le Monde*.
e qui est le plus motivé.
f que vous devez impérativement observer.

3 Now fill in with **qui** or **que/qu'** as appropriate.

a Le poste __________ m'intéresse le plus est celui de Chef de Service.
b Je n'ai pas l'expérience professionnelle __________ vous exigez.
c La lettre de motivation __________ je vous ai envoyée n'était pas complète.
d Il nous a faxé les informations supplémentaires __________ étaient nécessaires.
e Mon curriculum vitae __________ vous trouverez ci-joint vous permettra de connaître mon profil.

4 Fill the gaps with **ce**, **cet**, **cette**, **ces** as appropriate:

a __________ annonce a déjà paru la semaine dernière.
b __________ atouts sont indispensables.
c Nous voulons remplir __________ poste tout de suite.
d __________ entretien est prévu le 12 juin.

5 Answer the following questions, using **celui-ci**, **celle-ci** or **ceux-ci**, **celles-ci**:

a Quelles sociétés avez-vous contactées?
b Quel formulaire as-tu rempli?
c Quels sont les postes les plus intéressants?
d Quelle est l'adresse qui convient?

Vocabulaire

The numbers refer to the exercises in this Unit.

1

le chef du personnel	Head of Personnel/Human Resources
je vous la passe	I'll put you through to her
C'est de la part de qui?	Who is speaking?
votre annonce	your advertisement
les enseignants	teachers
un anglophone	English-speaker
tout de suite	immediately
en tant que	as, in the capacity of

2

... à l'appareil	... speaking
En quoi puis-je vous être utile?	How may I help you?
C'est à quel sujet?	What are you calling about?

4

la société	company, firm
celui que	the one that
celui-ci	this one
tu plaisantes!	you're joking!
en plus/d'ailleurs	besides

5

une bonne maîtrise	good knowledge

6

une Start-up	a start-up (new venture)
le siège	headquarters
vous êtes rattaché(e) à	you report to
au-delà de	beyond, over and above
la tenue	brief, duties
les dossiers (*mpl*)	portfolios
la gestion	management
la rédaction	drafting, writing, editing
une action	initiative
les outils informatiques (*mpl*)	computer software
un dirigeant	an executive
les atouts (*mpl*)	qualities
le conseil	(recruitment) consultant

7

quelques informations (*fpl*)	some information
il y a des déplacements?	is one expected to travel?
sur place	on site, here

10

suite à	following
paru(e)	published in, which appeared in
ci-joint	(herewith) attached, enclosed
grâce à	thanks to
un stage en entreprise	a work placement
au cas où	if/in case
retiendra votre attention	will interest you
un entretien	an interview

13

mondial	world
une partition musicale	musical score
un chef de service	department head
encadrer	to oversee
chargé de	responsible for
traiter	to deal with
une équipe	team
les prétentions (*fpl*)	expected salary

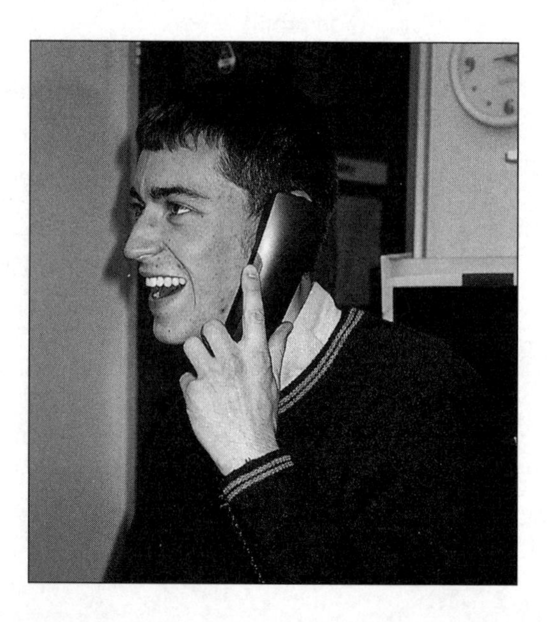

Avec un partenaire

1 You are applying for a job. Your partner is the Head of Personnel. Role-play the following telephone conversation. You begin:

- Say, 'I'd like to speak to the Head of Personnel please'.
- Greet him/her, introduce yourself and say, 'I wish to apply for the post advertised in *Carrières et Emplois*'.
- Say, 'I am studying for a degree in ...'
- Say, 'I have had... (part-time) jobs', (if any).
- Say, 'Thank you very much – I'll send my address immediately.'

2 You work with a multinational firm. Your firm wishes to take on a translator, to help with manuals. You are involved in the selection process. Your partner wishes to apply for the job. He/She begins the conversation.

- Greet him or her. Ask, 'Did you know it is a fixed term contract?'
- Say, 'The post is based in Paris'.
- Say, 'We demand a good knowledge of English of course and the ability to write well'.
- Say, 'I will send an application form'.
- Say, 'The closing date for applications is 16 June'.
- Say, 'I look forward to receiving your application'.

Avec un partenaire

1 You are the Head of Personnel with a large firm in Lyon. Your partner phones to apply for a job:

- Say, 'I am the Head of Personnel'.
- Ask, 'Do you have a university degree?'
- Ask, 'Do you have professional experience?'
- Say, 'I will send an application form'.
- Say, 'Very good and thank you very much'.

2 You are applying for a job as a translator with a multinational firm. Your partner is responsible for the selection process.

- Say, 'Good morning' and 'I wish to apply for the job advertised in the paper'.
- Ask where the post is based.
- Ask what qualities they are looking for.
- Say, 'I am British and translation is part of my degree course'.
- Ask when the closing date for applications is.
- Say, 'I'll prepare my letter of application straight away'.
- Say, 'Thank you very much'.

7 J'arrive mardi

The main purpose of this unit is to give you the language you need in order to make and understand arrangements, describe your plans, use timetables and travel information and book a hotel room.

You will also be learning how to form the future tense in French and be recapping the imperative and times and dates.

1 Tu as des projets?

MARTIN: Tu as des projets pour le week-end, Corinne?

CORINNE: Non, pas vraiment. Je pensais sortir un peu de Paris mais avec qui?

MARTIN: On peut partir ensemble si tu veux. Comme je me suis disputé avec Carole ...

CORINNE: C'est vrai? Oh là! là! Et si on invitait aussi Philippe?

MARTIN: Bonne idée. Je lui poserai la question.

CORINNE: Mais où est-ce qu'on va aller?

MARTIN: J'ai ma cousine près de Figeac dans le Lot, on peut faire du canoë, on mange bien et puis il y a aussi le musée Champollion.

CORINNE: Ah oui, celui qui a décodé le mystère des hiéroglyphes égyptiens, c'est intéressant, ça. Mais ta cousine, peut-elle nous loger, tous les trois?

MARTIN: Oui, pas de problème, elle habite une maison de campagne avec beaucoup de place. Je lui téléphonerai ce soir. Mais tu comptes partir vendredi soir ou ...?

CORINNE: Ah oui, si on part samedi matin on aura très peu de temps. Partons plutôt vendredi soir, non? On met combien de temps en voiture pour y arriver?

MARTIN: Quatre heures? Peut-être un peu plus.

CORINNE: C'est un peu long mais ça va aller. Comme c'est le week-end de l'Assomption, et que le lundi est un jour férié, on ne sera pas obligés de rentrer dimanche soir. On reviendra à Paris lundi. Qu'en penses-tu?

MARTIN: Je suis tout à fait d'accord. On pourra tout oublier et nous reposer totalement pendant deux jours.

CORINNE: Fantastique!

orientation

Making plans

Tu as des projets ... ?	Have you got any plans?
Où est-ce qu'on va aller?	Where shall we go?
Peut-elle nous loger?	Can she put us up?
Je lui téléphonerai.	I'll phone him/her.
Tu comptes partir ... ?	You intend leaving ... ?
Si on part ... on aura très peu de temps.	If we leave ... we'll have very little time.
Partons ...	Let's leave ...
On met combien de temps ... ?	How long does it take ... ?
un jour férié	a public holiday
On ne sera pas obligés de ...	We won't have to ...

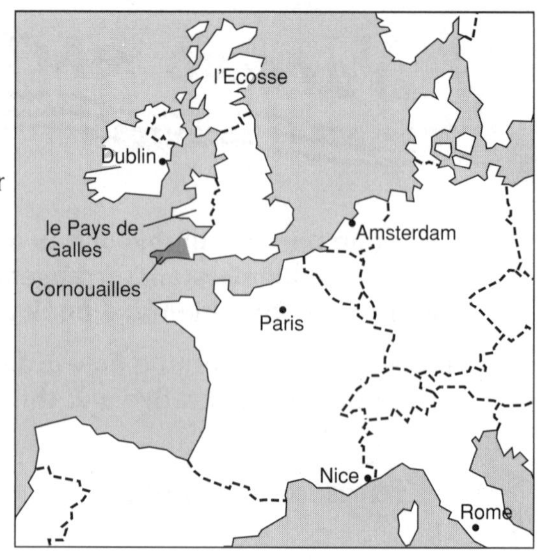

2 Où est-ce qu'on va aller?

Talk about your weekend plans with your partner and arrange to go somewhere together.

Tu as des projets ...?
Où est-ce qu'on va aller?
Tu comptes partir ...?
Partons ...

3 On pourra se relaxer

Quand est-ce qu'on pourra partir? – On pourra partir vendredi soir/samedi matin.
Où est-ce qu'on pourra loger? – On pourra loger chez mes amis/mes parents.
Qu'est-ce qu'on pourra faire? – On pourra ...

faire du canoë
rendre visite à mes cousins
se promener
aller au marché
lire
manger
se relaxer
faire la grasse matinée

On ne sera pas obligés de revenir avant dimanche soir/lundi.
On reviendra dimanche soir/lundi.

Firm up the plans for your weekend break by talking about when you'll be able to leave, where you'll be able to stay and what you'll be able to do during your weekend away. One of you should start off by saying:

Bon, alors ce week-end en Cornouailles/en Ecosse/au pays de Galles/ à Dublin/Paris/Amsterdam/Rome/Nice, quand est-ce qu'on pourra partir?

And take it from there ...

4 Tu viens en Eurostar?

– Alors tu viens en Eurostar?
– Oui, c'est le plus rapide. Je prendrai le train qui part de la gare de Waterloo à 9h23. Il arrive à Paris à 13h23.
– Je viendrai te chercher à la gare. C'est Gare du Nord, hein, c'est ça?
– Voilà, c'est ça, Gare du Nord.
– Ecoute, ne mange pas dans le train. Je connais un très bon restaurant dans le coin et comme ça on fêtera ton arrivée!
– Ah oui, bonne idée! Mmm. J'ai un rendez-vous le 20, à 10 heures.
– Oui, c'est-à-dire que tu arrives le 19, n'est-ce pas, jeudi prochain?
– Oui, c'est ça.
– Ça nous laissera le temps de parler de nos projets ... et de visiter un peu Paris! Tu repars quand?
– Je compte repartir samedi, j'ai réservé une place dans le train de 9h43.
– Oh! Tu ne pourras pas rester un peu plus?
– Non, malheureusement, je suis prise samedi soir à Londres.
– Bon, d'accord, donc à jeudi!
– A jeudi, Henri, embrasse ta famille de ma part!
– Bien sûr. A bientôt. Au revoir.

orientation

Je prendrai le train ...	I'll take the train ...
Je viendrai te chercher à la gare.	I'll come and pick you up at the station.
Ça nous laissera le temps de parler	That will give us time to talk
Je compte repartir samedi.	I'm intending to leave again on Saturday.
Embrasse ta famille de ma part!	Best wishes/hugs to your family!

5 Je prendrai le train de 8h53

After listening to the recording, reconstruct the conversation by finding the correct response in the list on the right to each of the questions on the left:

1 Alors tu viens en Eurostar?	**a** Non, je suis pris(e) samedi soir.
2 Le train arrivera à Paris à quelle heure?	**b** D'accord, on fêtera dans un restaurant.
3 Ecoute, ne mange pas dans le train.	**c** Embrasse ta famille de ma part.
4 Voilà! Quand comptes-tu repartir?	**d** Oui, je prendrai le train de 8h53.
5 Tu ne pourras pas rester?	**e** Je repars dimanche.
6 Bon, d'accord. Donc à jeudi!	**f** 12h53.

Role-play the conversation with your partner, swapping roles so you take both parts.

6 Lire

PORTSMOUTH/CAEN: POUR UNE TRAVERSÉE TRANQUILLE.

Vous pouvez traverser la Manche en avion, en tunnel ou en car-ferry.
Mais si vous faites le trajet de l'Ouest de l'Angleterre à Paris, il vaut la peine de considérer la traversée Portsmouth–Caen. Vous passerez moins d'heures en route et vous aurez une nuit tranquille – ou six heures à bord pendant la journée à vous relaxer. Plus d'embouteillages, plus de stress! Vous arriverez à Paris prêt à profiter de tout ce que la capitale la plus belle d'Europe vous offre.

Caen n'est qu'à 238 km de Paris par l'autoroute la plus verte de France, l'autoroute de Normandie A13. Et à deux heures de Paris Saint-Lazare par le turbotrain. Portsmouth–Caen-Ouistreham, la nouvelle ligne Brittany Ferries vous emmène en France toute l'année, de jour ou de nuit, sur un nouveau bateau 'le Duc de Normandie' qui chaque jour peut transporter 1500 passagers et 360 voitures dans un confort de croisière.

a Give six reasons why you might choose the Portsmouth-Caen crossing.
b Translate the brochure so that it is suitable for an English-speaking market.

7 Je voudrais réserver une chambre

– Hôtel Concorde, bonjour.
– Bonjour, madame, je voudrais réserver une chambre, s'il vous plaît.
– Oui, bien sûr, c'est pour quelle date?
– C'est pour le 31 mai.
– Oui, et pour combien de personnes?
– Une personne.
– Avec douche ou avec salle de bains?
– Avec douche, s'il vous plaît.
– Et c'est pour combien de nuits?
– Pour deux nuits seulement.
– Pour deux nuits, d'accord, oui, c'est possible.
– Quel est le prix, s'il vous plaît, madame?
– Alors une chambre avec douche, cela vous fait 70 euros, monsieur.
– Très bien. Le petit déjeuner est compris?
– Oui, le petit déjeuner et les taxes sont compris dans le prix.
– Et vous avez un parking, madame?
– Non, nous n'avons pas de parking mais on peut se garer facilement tout près de l'hôtel.
– Très bien. Et je pourrai téléphoner et passer des fax?
– Oui, bien sûr. Toutes les chambres ont une ligne téléphonique et la réceptionniste peut envoyer des fax.
– Vous n'avez pas de restaurant?
– Non, mais il y a de très bons restaurants dans le coin.
– Bon, c'est très bien. Je prendrai donc la chambre à 70 euros pour les deux nuits du 31 mai et du 1 juin.
– C'est à quel nom, monsieur?
– Kuldeep Desai, D-E-S-A-I.
– Très bien, Monsieur Desai, on vous attendra le 31 mai.
– Merci, madame.
– C'est moi qui vous remercie. Au revoir.

orientation

Je voudrais réserver une chambre.	I'd like to book a room.
avec douche	with shower
Quel est le prix?	How much is it?
Le petit déjeuner est compris?	Is breakfast included?
Vous avez un parking?	Do you have a carpark?
se garer	to park
dans le coin	nearby
on vous attendra	we'll be expecting you

8 Booking a hotel room

Following the format of the dialogue in exercise 7, invent your own 'booking a hotel room' conversation, specifying that you want:

– a room for 28th August
– for two people
– with a bathroom.

Then ask whether:

– breakfast is included
– it is easy to park near the hotel.

Finally, give your name, spelling it out!

Act out the conversation with your partner, then swap roles.

9 Days and dates

In French, for 'Friday the 2nd of May', you say: **<u>le</u> vendredi deux mai** (*lit.* the Friday 2 May).
Note: days and months do not begin with capital letters in French.

In French, how would you say:
a Thursday the 5th of June
b Friday the 21st of September
c Sunday the 16th of March
d Wednesday the 1st of February
e Saturday the 15th of April
f Monday the 31st of August

10 Lire

a Confirming a booking

Hôtel Concorde
33, boulevard Caulaincourt
75006 Paris
France
Warminster, le 15 mai 2001

45 March St.,
Warminster
Wiltshire BA12 0AS
Grande-Bretagne

Madame
Suite à notre conversation téléphonique d'aujourd'hui, je confirme la réservation à mon nom d'une chambre pour une personne avec douche pour les nuits du 31 mai et 1 juin.

En vous remerciant, je vous prie de croire, madame, en mes sentiments les meilleurs,

K. Desai

b Cancelling a booking

Hôtel des Etrangers
Rue Mercantour
Sospel
Alpes-Maritimes
France
Bolton, le 15 avril, 2003

Mary Sanders
79, Brocklehurst Ave.,
Bolton BL6 4NF
Lancs.
Grande-Bretagne

Messieurs,
Je suis au regret de devoir annuler ma réservation d'une chambre pour quatre personnes pour les nuits du 20 au 21 août que j'ai effectuée le 13 avril par téléphone.

Je vous remercie de votre compréhension et vous prie d'agréer, messieurs, l'expression de mes sentiments distingués.

M. Sanders

Read the letters and write down how you would say:

a Following our telephone conversation today
b in my name
c Yours sincerely
d I am afraid I must cancel my booking
e I apologise for the inconvenience (*lit.* Thanking you for your understanding)

11 Ecrire

Write a similar letter to the one in Exercise 10b, from Kuldeep Desai cancelling his reservation for a hotel room made on May 15th (in letter 10a).

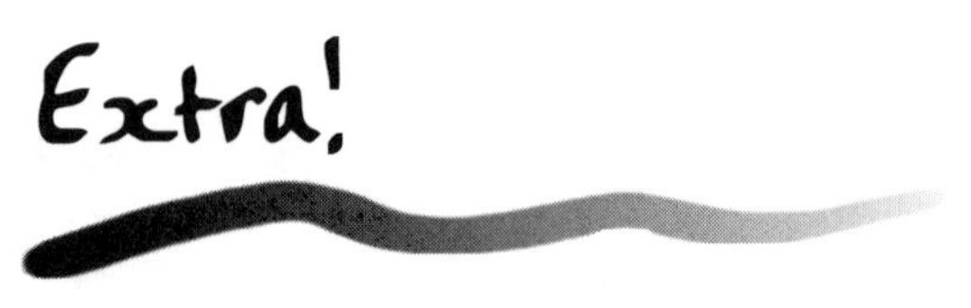

12 J'arrive à 19h30

Ecoutez les quatre conversations tout en notant les détails dans la grille:

Nom	Jour et date d'arrivée	Heure d'arrivée	Chambre d'hôtel avec douche/salle de bains
Baird			
Drakapoulou			
Roussel			
Dufain			

13 Lire

CAMP DE TOURISME **

Les Lavandes

à 250 m du centre de Castellane, route des Gorges du Verdon, proximité de baignade

Dans un site panoramique exceptionnel, ce camping-caravaning est un lieu idéal pour maintenir sa forme ou faire un plein d'énergie, avec :

- 60 emplacements
- son sauna finlandais
- ses animations de plein air
- sa base de loisir Montagne et Rivière
- rafting, hydrospeed, canyoning, VTT, escalade, canoë kayak, planche à voile.

AMBIANCE FAMILIALE

un surcroît de confort : eau chaude, lave-linge, sèche-cheveux, four micro-ondes, repassage, barbecue, emplacement à triple branchement, téléphone, vidéo.

OUVERT du 23 mars au 10 octobre

LOCATION CARAVANES, MOBIL-HOMES ET APPARTEMENTS

tél: 04 92.83.68.78

internet: camping-les-lavandes.com

email: accueil@camping-les-lavandes.com

You are planning a long weekend in the French countryside and are considering this campsite. In English, list what it offers in terms of activities and on-site facilities.

Grammaire

- **The future tense**

The future tense in French is formed by adding the following endings to the infinitive of the verb: **-ai**, **-as**, **-a**, **-ons**, **-ez**, **-ont**.

je donnerai – I will give
tu donneras
il/elle/on donnera
nous donnerons
vous donnerez
ils/elles donneront

Note that these are similar to the endings of the verb **avoir** in the present tense.
(j'ai, tu as, il/elle/on a, nous avons, vous avez, ils/elles ont)

Note also:

1 Verbs whose infinitive ends in **-e** drop the **-e** before adding the endings:
je prendrai, tu boiras, il vendra, elle dira
nous perdrons, ils croiront, elles écriront

2 A number of verbs have irregular stems. These keep the future endings but their stem is not formed from the infinitive.
aller: j'irai
avoir: j'aurai
devoir: je devrai
être: je serai
faire: je ferai
pouvoir: je pourrai
savoir: je saurai
venir: je viendrai
voir: je verrai
vouloir: je voudrai

- **The imperative**

To tell someone to do something, use the imperative: simply the present tense without **tu/vous** in front. For **-er** verbs, the **s** is dropped from the **tu** form.
manger: Mange! Mangez! – Eat!
courir: Cours! Courez! – Run!
écrire: Ecris les réponses. Ecrivez les réponses. – Write the answers.

The negative is formed as follows:
Ne (le) mange pas! Ne (le) mangez pas! – Don't eat (it)!

Note where the object pronouns are positioned:
Mange-le! Mangez-le! – Eat it!
Donne-le-moi/lui! – Give it to me/him!
Ne me/nous le donne pas! – Don't give it to me/us!
Ne le lui/leur donne pas! – Don't give it to him/them!

Note also that the **nous** form is very useful when making suggestions:
Partons! – Let's go!
Buvons du vin! – Let's drink wine!
Mangeons! – Let's eat!

Exercices de grammaire

1 Add the endings to make the future tense:

a je boir...
b tu prendr...
c il achèter...
d elle manger...
e nous donner...
f vous parler...
g ils ser...
h elles croir...

> Note the slightly irregular stem – **achèter...**

2 Translate the following:

a They (*m.*) will come
b I will arrive
c He will be
d We will make
e You (use **tu**) will go
f She will be able to
g We (use **on**) will have to
h I will know
i You (use **vous**) will want to
j We shall see

3 From the box below, choose the appropriate verbs to complete the text, using the future tense.

aller	**donner**	**être (×3)**	**voir**	**changer**
vouloir	**venir**	**partir**	**arriver**	**pouvoir**

Cher Christophe

Pauline **a** ________ à la Gare du Nord à 16h30. Elle **b** ________ de Londres à 12h30. Je lui **c** ________ quelques sandwichs pour le train. **d** ________ -tu passer la chercher dans l'après-midi ou **e** ________ -tu trop occupé dans le bureau? Je **f** ________ la réservation, s'il ne **g** ________ pas possible de la chercher à cette heure-là. Nous aussi, Marguerite et moi, nous **h** ________ en France pour deux semaines entre le 7 et le 21 août. Où **i** ________ -vous à ce moment-là? Marguerite **j** ________ certainement revoir Pauline. **k** ________ -vous peut-être passer quelques jours chez nous dans le Lot? De toute façon, j'espère bien qu'on se **l** ________ cet été, soit à Paris, soit à la campagne.

Embrasse la famille de ma part.
Amicalement,

Mark

4 Make the following sentences negative:

a Bois ce vin!
b Partez tôt le matin!
c Donne-le-lui!
d Rends-moi mon livre!
e Embrasse Philippe!
f Achetez du pain!
g Faites-le!
h Viens ici!

Vocabulaire

The numbers refer to the exercises in this Unit.

1

pas vraiment	not really
ensemble	together
l'Assomption	Assumption (public holiday on 15 August)

2

les pays d'Europe	European countries
l'Allemagne (*f*)	Germany
l'Autriche (*f*)	Austria
la Belgique	Belgium
la Bulgarie	Bulgaria
le Danemark	Denmark
l'Ecosse (*f*)	Scotland
l'Espagne (*f*)	Spain
la Finlande	Finland
la Grèce	Greece
l'Irlande (*f*)	Ireland
l'Italie (*f*)	Italy
le Luxembourg	Luxembourg
les Pays-Bas (*mpl*)	Holland/Netherlands
le pays de Galles	Wales
la Pologne	Poland
la République tchèque	Czech Republic
la Roumanie	Romania
la Russie	Russia
la Slovaquie	Slovakia
la Suède	Sweden
la Turquie	Turkey

3

faire la grasse matinée	to have a lie-in

4

chercher	to collect, meet
fêter ton arrivée	to celebrate your arrival
c'est-à-dire	that is to say
tu ne pourras pas...?	won't you be able to...?
malheureusement	unfortunately
je suis pris(e)	I am busy/otherwise engaged

6

une traversée	crossing
il vaut la peine	it's worthwhile/ worth it
l'embouteillage (*m*)	traffic jam
profiter de	to make the most of
Caen n'est qu'à ... ... kms de	Caen is only ... km from

7

la douche	shower
la salle de bains	bathroom
compris	included

10

suite à	following
à mon nom	in my name
je suis au regret	I'm afraid
annuler	to cancel
effectuer une réservation	to make a reservation

Avec un partenaire

1 You are planning a weekend away with your partner. You start the conversation.

- ask 'Have you got any plans?'
- say 'We could go away together'
- say 'We could spend the weekend with my sister/brother/cousin/friend'
- say where they live
- say whether they can put you up
- say what you can do there (walking, discothèques etc.)
- suggest leaving on Friday evening
- say 'You'll be able to relax completely'.

2 You are the receptionist at a hotel. Your partner is booking a room. Fill in the form with his/her details.

Nom : ....

Dates : ....

Combien de personnes : ....

Douche : ....

Baignoire : ....

Prix des chambres

	Avec douche	Avec baignoire
Chambre simple	€45	€50
Chambre double	€68	€73

- Toutes taxes comprises.
- Ce prix inclut le petit déjeuner, le parking.
- Nous regrettons de ne pas avoir de restaurant.

Avec un partenaire

1 You are planning a weekend away with your partner. Your partner asks if you have any plans:

– say 'Not really'
– say 'Good idea but where could we go?'
– ask where they live
– ask whether they could put you up
– ask what you can do there
– ask when your partner intends leaving
– agree
– say 'Fantastic!'

2 You are booking a hotel room. Your partner is the receptionist at the hotel. Here is what you need:

double room from 15-17 August
carpark?
what about tax?
shower
breakfast included?
can't spend more than 70 euros a night

8 L'entretien d'embauche

The main purpose of this unit is to learn how to talk about hypothetical situations, to take part in an interview and to negotiate.

You will also be practising the use of 'if' sentences and the conditional.

1 Et si on t'embauchait ... ?

JÉRÔME:	Et si on t'embauchait pour le poste de traducteur ... ?
MARTIN:	Je serais ravi.
JÉRÔME:	Tu aurais plus d'argent, ça, c'est sûr.
MARTIN:	Oui, mais j'aurais moins de temps libre.
JÉRÔME:	Tu continuerais tes études?
MARTIN:	Oui, bien sûr, comme c'est un contrat à durée déterminée ...
JÉRÔME:	Pour combien de temps?
MARTIN:	Trois mois.
JÉRÔME:	Ça commencerait quand?
MARTIN:	Je ne sais pas exactement, enfin .... Mais comme on est déjà le 15 mai, pas avant le mois de juin.
JÉRÔME:	C'est à quelle date, ton dernier examen?
MARTIN:	Le quinze juin.
JÉRÔME:	C'est parfait. Tu pourrais faire tes trois mois de traduction pendant les grandes vacances.
MARTIN:	Pas de vacances pour moi!
JÉRÔME:	Mais si! Si tu commençais mi-juin, tu pourrais partir mi-septembre avant la rentrée en octobre.
MARTIN:	Tu as raison. Bon, ben ... on verra, hein?

orientation

The conditional

(See pp. 98, 150, 156).

Si on t'embauchait ...	If they took you on ...
Je serais ravi.	I'd be delighted.
Tu aurais plus d'argent.	You'd have more money.
Tu continuerais tes études?	Would you continue your studies?
Ça commencerait quand?	When would it start?

2 Si ...

Si ...... + imperfect tense ⟶ conditional

Si on t'**embauchait**,	tu **serais** ravi.
Si tu **acceptais** le poste,	tu **pourrais** partir en vacances.

Note that when the **si** clause comes second, you must still use the imperfect in the **si** clause and the conditional in the other part of the sentence. For example:
Tu aurais plus d'argent, si tu avais un emploi.

What would you buy, if you had more money? Tell your partner!

Si j'avais plus d'argent, j'achèterais:

- un vélo/une voiture/un avion/un voilier
- un appartement/une maison/une tente/une caravane
- un poisson rouge/un chien/un chat/un cheval
- un baladeur/un portable/un PC/un iMac
- des CDs/des vêtements/des livres/une guitare
- un billet d'avion pour Rome/Paris/New York City/Prague

3 Un job d'été en France

Choose one of the summer jobs in the small ads below. Using the questions and answers in the box (page 93), talk to your partner about how your summer plans would develop, if you got the job.

1 **Serveurs/serveuses**
Nous avons besoin de vous pour notre petit bistro au bord de la mer.

2 **Animateurs/animatrices de colonie de vacances**
Vous aimez travailler avec les enfants ? Vous aimez être en plein air ? Nous recrutons animateurs et animatrices pour nos colonies dans l'Ardèche.

3 **Travail manuel dans la restauration**
Participez à la restauration des plus beaux châteaux de la France.
Expérience dans la maçonnerie utile mais pas indispensable.

4 **Cueillette des pommes en Normandie**
Faites partie de la vie traditionnelle de la France.
Aidez-nous à cueillir nos pommes ! Vous ne le regretterez pas !

Introduction

J'aimerais bien faire le petit job de l'annonce 1/2/3/4.

Questions

Pourquoi aimerais-tu faire ce petit job?
Si on t'acceptait, quand partirais-tu?
Tu saurais le faire? Tu as déjà de l'expérience dans ce domaine?
Tu aurais plus d'argent?
Pourrais-tu partir en vacances aussi?

Réponses

Cela me plairait parce que ...
Si on m'embauchait, je partirais ... (date)
J'ai déjà de l'expérience ... /Je n'ai pas d'expérience mais j'apprendrais très vite!
J'aurais plus d'argent/moins de temps libre.
Je (ne) pourrais (pas) partir en vacances.

4 J'ai lu votre CV

MME PILNER:	J'ai lu votre CV et vos références et tout me semble satisfaisant.
MARTIN:	Merci, madame.
MME PILNER:	Avez-vous déjà traduit des textes techniques?
MARTIN:	Non, mais je suis enthousiaste et j'apprends vite.
MME PILNER:	Quel est votre style de travail? Préférez-vous travailler seul ou au sein d'une équipe?
MARTIN:	J'aime bien travailler seul mais j'ai aussi travaillé au sein d'une équipe et ça ne m'a pas derangé.
MME PILNER:	S'il fallait travailler sous pression, pourriez-vous terminer en temps voulu?
MARTIN:	Oui, j'ai l'habitude de travailler sous pression et j'ai toujours respecté les délais fixés.
MME PILNER:	Quel est votre plan de carrière?
MARTIN:	Je souhaiterais travailler en France et en Angleterre.
MME PILNER:	Si on vous acceptait pour le poste, quand pourriez-vous commencer?
MARTIN:	Mon dernier examen aura lieu le quinze juin. Je serai donc disponible à partir de cette date.
MME PILNER:	Bon, merci beaucoup, M. Lecomte. Nous avons d'autres candidats à voir demain mais on vous contactera le plus tôt possible.
MARTIN:	Merci, madame.

orientation

Quel est votre style de travail?	What is your work style?
Préférez-vous travailler seul ou au sein d'une équipe?	Do you prefer to work on your own or as part of a team?
travailler sous pression	to work under pressure
terminer (la tâche) en temps voulu	to complete (the task) on time
Quel est votre plan de carrière?	What is your career plan?
je serai disponible à partir de	I will be available from ... onwards

5 Interview technique

Get used to answering an interviewer confidently by replying to your partner's questions. (You may want to spend some time thinking and writing down some notes first!)

- **Quel est votre style de travail?**
- **Pouvez-vous travailler sous pression?**
- **Terminez-vous les tâches en temps voulu?**
- **Quand pouvez-vous commencer?**

6 Les questions de l'entretien

Read the following interview questions (**a-i**). Find the appropriate replies in the jumbled list below (**A-I**) and say whether each is a suitable or an unsuitable answer in the context of a job interview.

a Quelles sont vos qualifications?
b Quelle est votre expérience professionnelle?
c Etes-vous prêt à voyager pour ce poste?
d Préférez-vous travailler seul ou en équipe?
e Pourquoi avez-vous répondu à cette annonce?
f Quelles sont vos plus grandes qualités?
g Quel est votre plus grand défaut?
h Quelles sont vos activités extra-professionnelles?
i Quel est votre plan de carrière?

A Parce que les qualités requises correspondent à mon profil.
B En équipe, mais pas avec n'importe qui.
C J'ai raté le bac trois fois.
D J'ai déjà eu une expérience dans le domaine de la gestion.
E Je n'ai pas de projets actuellement.
F Je suis dynamique, entreprenante et sociable.
G Dormir et boire de la bière.
H Je n'en ai pas, selon mes connaissances.
I Oui, les trajets ne me découragent pas.

7 Négociations: le salaire d'un serveur à temps partiel

ANNE-MARIE:	Un Gallois, Gareth, a téléphoné – il aimerait bien le poste de serveur.
PASCAL:	Oui, mais il ne peut pas commencer avant le mois de juillet.
ANNE-MARIE:	Il a déjà de l'expérience et j'ai l'impression qu'il pourra travailler sous pression. On a beaucoup de monde l'été …
PASCAL:	Mais tu le sais bien – tout commence le 15 juin au bistro. Les vacanciers arrivent.
ANNE-MARIE:	Je suis persuadée que Gareth est travailleur et qu'il sera très bien avec la clientèle.
PASCAL:	Bon, d'accord. C'est donc réglé.
ANNE-MARIE:	J'ai une dernière question à te poser. Il s'agit du salaire proposé …
PASCAL:	Oh! C'est un très bon salaire …!
ANNE-MARIE:	Mais tu pourrais envisager un peu plus …
PASCAL:	Ah non! C'est trop!
ANNE-MARIE:	J'ai fait quelques calculs et je pense qu'on pourrait offrir un salaire de 270 euros par mois.
PASCAL:	Hors de question!
ANNE-MARIE:	Bon, alors, voilà ce que je te propose. Nous gardons le salaire au niveau actuel mais on permet à Gareth de garder tous ses pourboires.
PASCAL:	OK. Je suis d'accord. Tu téléphoneras donc à Gareth pour lui offrir le poste?
ANNE-MARIE:	D'accord. Je le ferai cet après-midi.

orientation

Negotiating

Oui, mais … !	Yes, but … !
C'est donc réglé.	It's settled then.
J'ai une dernière question à te poser.	I have one last question to ask you.
Hors de question!	Out of the question!
Voilà ce que je propose …	Here's what I suggest …
Je suis d'accord (en principe).	I agree (in principle).

8 A négocier

Imagine you are Marguerite, negotiating an evening off from your summer job working in a children's holiday camp. Write in your part of the dialogue, using phrases from the box below:

LE DIRECTEUR: Alors, tu es contente, Marguerite? Le travail te plaît?
VOUS: ______________________________

LE DIRECTEUR: Tu devrais avoir une soirée libre.
VOUS: ______________________________

LE DIRECTEUR: Oui, quelle est ta petite question?
VOUS: ______________________________

LE DIRECTEUR: Ah non! Je regrette, ce soir c'est le tour de Valérie. Elle est déjà partie.
VOUS: ______________________________

LE DIRECTEUR: Non, je m'excuse, nous n'avons pas assez de personnel.
VOUS: ______________________________

LE DIRECTEUR: Oui, demain tu peux terminer à cinq heures.
VOUS: ______________________________

LE DIRECTEUR: Oui, Marguerite! Demain tu l'auras, ta soirée libre!

a Puis-je rentrer chez moi un peu plus tôt ce soir?
b Je ne peux vraiment pas avoir une soirée libre ce soir?
c Oui, j'ai une petite question à vous poser.
d C'est donc réglé?
e Ce sera peut-être possible demain?
f Oui, mais c'est plus dur que prévu et je suis fatiguée.

9 Role play

With your partner, act out the dialogue you have created in Exercise 8.

10 J'ai une question à te/vous poser … Tu pourrais…/Vous pourriez … ?

Ask your partner if they will do you some favours. Can you manage to persuade him/her? Partners: don't give in without a fight! Use the phrases you have learnt like **Hors de question**, **Non, je m'excuse** … **Non, je regrette** … , before (possibly!) reaching a compromise.

Examples:

- me prêter ton/votre CD
- m'aider à faire mes devoirs de français
- venir me chercher à la maison la semaine prochaine
- me donner un de tes/vos chips

Extra!

11 Lire

Read the letter and answer the questions.

Messieurs,

Suite à notre conversation téléphonique d'aujourd'hui, je vous écris à propos de l'annonce pour le poste d'assistant administratif.

Je vous envoie ci-joint mon curriculum vitae qui vous permettra de juger de mes aptitudes pour le poste.

Grâce à ma formation, j'ai de bonnes connaissances en marketing. Le poste proposé a attiré toute mon attention car l'étude de marché m'intéresse tout particulièrement.

Je serais heureux de vous parler de mon profil à l'occasion d'un entretien. Dans cette attente, je vous prie de croire, messieurs, à l'expression de mes sentiments les meilleurs.

Brian Mahoney

a Why is Brian writing the letter?
b What is he enclosing? Why?
c Why does the post particularly interest him?
d When does he hope to speak to his potential employers?

12 Quelles sont vos qualifications?

Ecoutez ces quatre candidats pour un poste. Remplissez la grille des informations requises.

	Qualifications	**Style de travail**	**Qualités**	**Salaire désiré**
Pierre Glorion				
Cécile Jouffrey				
Roger Tyler				
Karin Kröger				

Grammaire

- **The conditional**

The conditional (I would do something) is formed in French by adding the following endings to the infinitive: **-ais**, **-ais**, **-ait**, **-ions**, **-iez**, **-aient**.

je donner**ais** (– I would give)	nous donner**ions**
tu donner**ais**	vous donner**iez**
il/elle/on donner**ait**	ils/elles donner**aient**

In the case of irregular verbs, add those endings to the future stem (e.g. **je serai**, I will be – look back to page 86, note 2):

je **ser**ais	nous **ser**ions
tu **ser**ais	vous **ser**iez
il/elle/on **ser**ait	ils/elles **ser**aient

- **'If' clauses**

These may be open or hypothetical.

1 In open conditions, the present and future tenses are used:

Si + PRESENT, ⟶	FUTURE
Si le salaire est adéquat, If the salary is adequate,	**je poserai ma candidature.** I will apply.
Si j'ai assez d'argent, If I have enough money,	**je l'achèterai.** I'll buy it.

2 In hypothetical conditions, the imperfect tense and conditional are used:

Si + IMPERFECT, ⟶	CONDITIONAL
Si le salaire était adéquat, If the salary was adequate,	**je poserais ma candidature.** I would apply.
Si j'avais assez d'argent, If I had enough money,	**je l'achèterais.** I would buy it.

Exercices de grammaire

1 Add endings to the following to make the conditional:

a je prendr...
b tu aur...
c il poser...
d elle ser...
e nous achèter...
f vous manger...
g ils croir...
h ils fer...

2 Translate the following:[1]

a she would have
b they (*m*) would come
c you (use **tu**) would make
d they (*f*) would want
e I would have to
f I would know
g he would be able
h we would see
i we (use **on**) would go
j you (*pl*) would be

3 Match up the two halves of the sentences:

a Si le salaire est adéquat, 3
b Je n'irais pas en vacances, 5
c Il n'aura pas assez d'argent, 6
d Si nous n'acceptons pas l'offre, 1
e Si la proposition était intéressante, 4
f Elle posera sa candidature, 2

1 nous n'aurons pas d'argent.
2 si son profil correspond au poste.
3 il acceptera l'emploi.
4 je ne la déclinerais pas.
5 si j'avais un job d'été.
6 si la société ne l'embauche pas.

4 Find the mistakes and correct them:

a Si j'ai assez d'argent, j'irais en Italie cet été.
b Que feriez-vous, s'il n'y a pas de télévision?
c Si les ordinateurs seraient abolis, la civilisation moderne s'écroulerait.
d Si j'ai mon mobile sur moi, je serais plus à l'aise.

5 Translate these sentences:

a If I had a job, I would be rich.
b If I were rich, I'd go on holiday.
c If I went on holiday, I'd go with you.
d If you went with me, you'd want to go to Spain.
e If we went to Spain, we'd have to speak Spanish. (use **on** + **devoir**)

[1]Refer back to the Grammaire section of Unit 7 (page 86, note 2) to find the irregular stems.

Vocabulaire

The numbers refer to the exercises in this Unit.

1

embaucher	to employ, take on
ravi	delighted
comme	as
pas avant	not before
la rentrée	return to university/start of academic year
bon ben	well then

2

un vélo	a bike
un voilier	a sailing dinghy
un poisson rouge	a goldfish
un baladeur	a walkman
un portable	mobile phone

3

un serveur/une serveuse	waiter, waitress
un animateur/une animatrice	youth leader
une colonie de vacances	summer camp
la restauration	restoring ancient buildings
la maçonnerie	building, bricklaying
la cueillette	picking

4

seul	alone
au sein d'une équipe	as part of a team
avoir l'habitude de	to be used to
sous pression	under pressure
les délais fixés	deadlines
avoir lieu	to take place
à partir de	from … onwards
demain	tomorrow
le plus tôt possible	as early as possible
la tâche	task

6

prêt	ready, prepared
le défaut	fault
requis	required
n'importe qui	anyone
rater	to fail
la gestion	management
entreprenant	enterprising
selon mes connaissances	as far as I know
les trajets (*mpl*)	trips, journeys

7

un Gallois	Welshman
beaucoup de monde	a lot of people
un vacancier	a holidaymaker
travailleur	hard-working
il s'agit de	it's about/it's a matter of
au niveau actuel	at its current level
le pourboire	tip

8

Le travail te plaît?	Do you like the job? (*lit.* Does the job please you?)
tu devrais	you ought to
une soirée libre	an evening off
c'est le tour de …	it's …'s turn
le personnel	staff
plus dur que prévu	harder than I thought (*lit.* than foreseen/expected)

10

prêter	to lend
chercher	to fetch, pick up
des chips (*mpl*)	crisps

12

Suite à …	Following …/Further to …
ci-joint	attached/enclosed
Grâce à …	Thanks to …
la formation	training
l'étude de marché (*f*)	market research

Avec un partenaire

1 Your partner is applying for a job – you are worried that it might affect his/her studies/holidays. When they tell you about it, ask, using **tu**:

– what date would it start?
– would it be a full-time post?
– is it a fixed term appointment?
– for how long?
– if you are taken on, would you be able to go on holiday?

2 You are having a job interview. Your partner is the interviewer. Answer his/her questions (using **vous**). Say:

– 'I think I have the skills required for the job'.
– 'I have very little professional experience but I am very dynamic'.
– 'I prefer to work on my own but I have worked as part of a team and that was all right'.
– 'I am used to working under pressure'.
– 'I envisage working with languages and I am prepared to travel'.
– 'My last exam is on June 12th and I am free from that date onwards'.
– 'Thank you'.

Avec un partenaire

1 You are applying for a job – your partner is asking how it would affect your studies/holidays. Tell him/her about it, then answer his/her questions (use **tu**). Say:

– you've applied for a job with Renault
– it would start on July 1st
– it would be a full-time post, 35 hours a week
– it is a fixed-term appointment
– for three months
– if they took you on, you would not be able to go on holiday in the summer but could have a holiday in December perhaps.

2 You are interviewing your partner for a job. Say and ask the following, using **vous**. You begin:

– 'I have read your CV and you have a very interesting profile'.
– 'Do you have professional experience in this field?'
– 'What is your work style – do you prefer to work on your own or as part of a team?'
– 'Can you work under pressure?'
– 'What is your career plan?'
– 'If I accepted you for the post, when could you start?'
– 'I have other candidates to see but I will contact you tomorrow'.

9 Je cherche un logement

The main purpose of this unit is to give you the language you need when finding accommodation: making enquiries, negotiating terms and conditions and understanding written or spoken information.

You will also be learning to use the passive and how to avoid it.

1 Un studio avec balcon dans un quartier calme

CORINNE: Cette fois j'en ai marre! Je ne peux plus supporter les gens qui habitent mon appartement!

MARTIN: Qu'est-ce que tu as? Ils sont gentils, Pierre et Marie.

CORINNE: Ah, ils sont très gentils, bien sûr, mais ils laissent leurs vêtements traîner un peu partout, ils ne font pas la vaisselle. Si on veut prendre un verre d'eau, il faut d'abord laver le verre ... Alors, tu vois un peu?

MARTIN: Ouais, j'imagine le scénario. Donc tu vas chercher un studio pour toi seule?

CORINNE: Voilà! Un studio avec balcon, dans un quartier plutôt calme.

MARTIN: Tu ne peux pas t'offrir un F1? Pour avoir plus de place.

CORINNE: Tu plaisantes! Je n'ai pas les moyens! Non, un petit studio avec coin-cuisine, ça va aller très bien. Enfin, on verra.

MARTIN: Quel loyer tu peux te permettre?

CORINNE: 300 euros par mois, à peu près, plus les charges qui sont de 15 euros environ. Tu peux m'accompagner à l'agence immobilière?

MARTIN: Avec plaisir. Quand est-ce que tu veux y aller?

CORINNE: Tu es libre tout de suite?

MARTIN: Oui, pourquoi pas? On y va?

CORINNE: D'accord.

orientation

Je ne peux plus supporter ...	I can't stand ... any more
Tu ne peux pas t'offrir ... ?	Can't you afford ... ?
Quel loyer tu peux te permettre?	How much can you afford in rent?
Tu peux m'accompagner?	Can you come with me?
Quand est-ce que tu veux y aller?	When do you want to go?

2 Qu'est-ce que c'est?

un studio = une seule pièce avec un coin cuisine
un duplex = un appartement à 2 étages
F1 = une pièce + une cuisine et une salle de bains
F2 = 2 pièces + une cuisine et une salle de bains
F3 = 3 pièces + une cuisine et une salle de bains
F = Formule

Take turns to ask and answer questions about the different types of rented accommodation commonly on offer in France.

Exemple:

Qu'est-ce que c'est qu'un F2?	C'est un appartement avec deux pièces, une cuisine et une salle de bains.
Et un duplex?	C'est un appartement à deux étages.

3 L'appartement idéal

Questions	Réponses
Pourquoi cherches-tu un logement?	Je pars en stage à Paris … . Je ne peux plus supporter … .
Quel genre de logement cherches-tu?	Je cherche un studio, un duplex, un F1, F2, F3
Quel loyer peux-tu te permettre par mois?	Je peux payer un loyer de … euros.

Using the phrases in the **Questions–Réponses** box, talk with your partner about the kind of accommodation you might choose if you were to go on a placement in Paris or felt you had to move out of your current accommodation (say what it is you can't stand any more!).

Dépannage

Comment dit-on 'cockroaches' en français? **[des cafards]**
'Noisy neighbours', comment ça se dit en français? **[des voisins bruyants]**
Comment peut-on dire 'the rent is too high' **[le loyer est à un prix trop élevé]**

4 L'agent immobilier fait visiter un appartement

AGENT IMMOBILIER: Alors, cet appartement, c'est un F1, c'est-à-dire qu'il y a une chambre et une salle de séjour. Il est très récent, il n'a que cinq ans et c'est au cinquième étage.
CORINNE: Ça veut dire qu'il y a une salle de bains et une cuisine séparée.
AGENT: Oui, c'est ça. Et vous avez des porte-fenêtres qui ouvrent sur le balcon.
MARTIN: Dans le séjour ou dans la cuisine?
AGENT: Les deux. Il y a une porte-fenêtre dans le séjour et dans la cuisine. [*Il ouvre la porte de l'appartement.*] Voilà, il y a une petite entrée. A gauche vous avez la cuisine et le séjour et à droite, la chambre et la salle de bains.
MARTIN: Mm, la cuisine est très claire mais elle est plutôt petite.
CORINNE: Oui, très petite, j'ai mon micro-ondes et un sèche-linge. Est-ce qu'il y aura assez de place?
AGENT: Et voici le séjour, qui est vaste et très agréable.
CORINNE: J'ai des étagères et beaucoup de livres ...
AGENT: Vous pourriez les mettre ici contre le mur.
CORINNE: J'ai aussi mon ordinateur, mon magnétoscope et ma platine laser ...
AGENT: Et la chambre, elle est très mignonne, comme chambre ...
CORINNE: Elle est minuscule, cette chambre!
AGENT: J'en ai vu des plus petites que ça, je vous assure. La salle de bains ...
MARTIN: Très correcte. Mais il y a juste la douche, il n'y a pas de baignoire.
CORINNE: Et le loyer, c'est combien par mois?
AGENT: Le loyer est de 375 euros par mois, plus les charges de 30 euros.
CORINNE: L'appartement est libre tout de suite?
AGENT: Oui, vous pouvez vous installer dès demain si vous voulez.
CORINNE: Bon. Merci beaucoup, monsieur. J'ai deux autres appartements à voir et je vous téléphonerai.

Répondez aux questions en français:

a L'appartement, combien de pièces a-t-il?
b Il est situé à quel étage?
c La salle de bains se situe à gauche ou à droite?
d Où sont les porte-fenêtres?
e Quels appareils électroménagers Corinne possède-t-elle?
f Quelle est la pièce qui est 'minuscule' selon Corinne?
g Le loyer est de combien?
h Et les charges?
i L'appartement, est-il libre immédiatement?
j Corinne, prend-elle sa décision tout de suite?

5 Role play: A louer

You want to rent out your current house while you are away on a placement. Describe it to your partner as if he/she were looking around it as a potential tenant.

6 Lire

Read the following advertisements for rented flats and pair them up with the descriptions below.

Example: 1 = e

m² = mètres carrés

ANNONCES

1

A louer, 500 m gare, F1 37m², chauffage électrique, loyer 525€ + 75€ charges.
S'adresser après 18h au 1 23 45 43 92

2

Loue studio, quartier des Halles, pièce principale, coin cuisine + salle de bains. Loyer 300€ + 15€ charges. Libre de suite.
Tél. (après 20h30) 1 34 59 97 76

3

A louer, centre-ville, chambre meublée pour étudiant ou stagiaire; coin-cuisine, douche. 225€ + 14€ charges.
Tél. 1 97 86 56 74

4

Loue appartement F2 70m² + garage, séjour, grand balcon, chambre, s.de b., 600€+ 52,50€ charges.
Tél. 1 56 54 83 76

5

A louer, quartier du Marais, duplex F1, kitchenette, douche.
Tél. (après 18h30) : 1 98 78 65 45

a Ce logement n'est pas cher du tout. Il est meublé, il y a une douche et le propriétaire aime les jeunes.

b Cet appartement se situe dans un quartier agréable, il est à deux étages et il a une kitchenette. Mais je dois téléphoner pour savoir le loyer.

c L'appartement est très grand et assez cher mais il a un balcon et les charges sont raisonnables.

d Un studio en plein centre-ville qui n'est pas cher et qui est libre de suite.

e L'appartement est assez grand et près de la gare, mais il est assez cher et, avec le chauffage central, les charges sont importantes.

7 Onze personnes ont été tuées

– Il est huit heures sur France Info. Et voici les informations.

– Onze personnes ont été tuées

Onze personnes ont été tuées dans l'accident du Boeing 727 qui s'est écrasé au décollage de l'aéroport de Dallas aux Etats-Unis. Quatre-vingt-dix-sept passagers et sept membres d'équipage se trouvaient à bord, mais un nombre de jeunes enfants n'avait pas été enregistré. Le nombre n'était pas connu hier soir.

– Un jeune skinhead est recherché pour le meurtre d'un clochard

Le jeune skinhead qui est recherché pour le meurtre d'un clochard samedi soir à Lille est toujours en fuite. Cinq skinheads ont été inculpés hier dans la même affaire pour non-assistance à personne en danger. Les cinq ont été remis en liberté. L'enquête se poursuit.

– 30 passagers évacués lors d'un incendie

Incendie hier à bord d'une barque faisant la traversée de l'estuaire de la Gironde à Bordeaux. Heureusement les 30 passagers ont été évacués et personne n'a été blessé.

– Périphérique fermé ce soir

Le périphérique parisien sera fermé ce soir entre 1 heure et 6 heures du matin en raison des travaux. Les bretelles d'accès seront barrées aux même heures sur l'autoroute du Sud.

– Boire ou conduire: il faut choisir

C'est le slogan de la nouvelle campagne contre l'alcool au volant. Il faut faire attention parce que les contrôles sont nombreux. A partir de 0,80 g d'alcool par litre de sang, vous commettez un délit. Votre permis de conduire vous sera alors immédiatement retiré pour 72 heures. Si aucun passager ne peut conduire, votre voiture sera immobilisée sur place. ALORS ATTENTION: un apéritif et trois verres de vin au cours d'un repas: STOP!

orientation

The passive voice

Onze personnes ont été tuées.	Eleven people were killed.
Cinq skinheads ont été inculpés.	Five skinheads have been charged.
Le périphérique sera fermé.	The ringroad will be closed.
Votre permis de conduire vous sera retiré.	Your driving licence will be taken away from you.

8 France Info – Compréhension

How well did you understand the items on France Info in Exercise 7? Answer the questions in English.

a How many people were killed in the Boeing 747 crash?
b Why will the Paris ringroad be shut between 1 a.m. and 6 a.m.?
c How much can you drink and still drive? What will happen if the amount of alcohol in your blood exceeds 0,80 grams per litre?
d Who is suspected of murdering a tramp?
e How many were killed in the fire on board a boat on the Gironde near Bordeaux?

9 France Info – Identification

Find the equivalents of these phrases in the transcription of the news bulletin from France Info (Exercise 7).

a If none of the passengers can drive, your car will be immobilised on the spot.
b The number was not known yesterday evening.
c No-one was injured.
d (The) Boeing 727 which crashed on take-off at Dallas airport in the US.
e The thirty passengers were evacuated.
f A number of young children had not been registered.
g The slip roads will be blocked.

10 France Info – Points Chauds Britanniques

- Find a hot item of today's news in Britain (un Point Chaud Britannique) and write it up in French for 'France Info'.
- Exchange items with other members of the class, asking your teacher to check them.
- Put all your items together and record your class news bulletin onto a cassette.
- Exchange recordings with another group working at the same level as yourselves.
- Can you write down which news items they have covered (and vice versa)?

P.T.T
ICI CREPES
VIN de CAHORS
SELECTIONNE
en vente ICI
EN VENTE
ICI

Extra!

11 Là où j'habite ...

Ecoutez quatre personnes qui décrivent l'endroit où elles habitent. Remplissez la grille:

	Studio F1 F2 F3?	Détails	Loyer
Thierry			
Sandrine			
Ahmed			
Juliette			

12 Lire

Read the article and do the exercise that follows.

La Loire sauvée : victoire du saumon sur le béton !

Pour la première fois depuis 80 ans, un saumon a été repéré le 3 août dans les eaux de la Gartempe, rivière du bassin de la Loire. Cette dame poisson (88 cm de long, 4,8 kg) est le symbole de la renaissance écologique du plus grand fleuve français menacé il y a une dizaine d'années par des barrages. Le retour du saumon est la conséquence directe de la destruction d'un des barrages – à Maisons-Rouges, situé sur la Vienne, non loin de son confluent avec la Loire.

Le 30 avril 1989, des milliers de personnes défilaient contre le projet de barrage de Serre-de-la-Fare. L'Epala (Etablissement public d'aménagement de la Loire et de ses affluents) tentait alors d'imposer une série de barrages destinés à réguler les crues. Selon les écologistes, ces réalisations allaient enfermer le fleuve dans un carcan de béton, entraîner une stagnation et donc une eutrophisation (asphyxie par excès d'algues) des eaux et faire fuir la faune sauvage.

D'abord locale, l'opposition devient vite internationale grâce à l'engagement du WWF (Fonds mondial pour la nature) et de son président d'honneur, le Prince Philip d'Edimbourg, qui s'exclama sur place en 1988 'Vive la Loire sauvage !'

Le vent souffle donc en faveur des écologistes. Mais il leur faudra plus de quatre ans d'occupation du site de Serre-de-la-Fare pour obtenir, début 1994, le lancement du plan Loire grandeur nature par Michel Barnier, alors ministre de l'Environnement. Outre l'abandon du barrage, ce plan définit une stratégie cohérente et globale. Idée force : vivre avec le fleuve et non contre lui.

Avec la désignation de Christine Jean, coordinatrice des activités scientifiques, comme 'héroïne de la planète' par le magazine Time, la Loire s'est imposée comme un véritable modèle pour les défenseurs de l'environnement de la planète.

[© *Ça m'intéresse*, Bernard et Catherine Desjeux, No. 227 janvier 2000 p.28]

Put the summary on page 111 in the order in which the information is given in the original article.

Note that only eight of the sentences summarise points from the article. Two sentences are inaccurate and need to be eliminated.

a What has happened on the Loire is seen as a model for environmentalists world-wide.

b A salmon has been found in the River Gartempe.

c The 4.8 kg fish had lived for 80 years in this tributary of the Loire.

d Thanks to a four-year long occupation of the dam site, the Minister of the Environment came up with a new plan.

e Thousands marched in protest and ecologists claimed the planned dams would be environmentally disastrous.

f This event symbolises the rebirth of the Loire.

g The idea now was to work with the river, not against it.

h Prince Philip gave the protests international support.

i Behind the dam project was a massive hydroelectric scheme designed to lessen France's dependence on nuclear energy.

j Ten years or so ago the river was threatened by dams.

La Loire

Grammaire

- **The passive**

The passive is essentially similar in French and English. It is formed by using the relevant tense of the verb **être** + a past participle:

a Present
La nature est menacée par les progrès technologiques.
Nature is threatened by technological advances.

b Future
La nature sera menacée.
Nature will be threatened.

c Imperfect
La nature était menacée.
Nature was (being) threatened.

d Perfect
La nature a été menacée.
Nature was/had been threatened.

Note the difference between the perfect and the imperfect forms, both of which may be translated (in English) as 'was' or 'were' (in the plural).
Neuf personnes ont été tuées.
Nine people were killed. (one event, quickly over)
Le nombre n'était pas connu.
The number was not known. (description of ongoing state)

- **Avoiding the passive**

1 The passive is often avoided in French by using a reflexive verb instead:
Les journaux anglais se vendent ici. English newspapers are sold here.
OR by using **on**:
Ici on parle anglais. English is spoken here.

2 The passive MUST be avoided for the indirect object of a verb such as **offrir/donner/montrer quelque chose à quelqu'un** (to offer/give/show something TO someone).

a **On m'a offert un café.** I was offered a coffee.
(NOT **J'ai été offert un café** – this would mean that I was being offered, not the coffee being offered TO me. So the passive is not possible here in French.)

b **On m'a donné beaucoup de beaux cadeaux.** I was given lots of beautiful presents.
(**J'ai été donné** is impossible in French as I was not given but the presents were given to me.)

Exercices de grammaire

1 Find the appropriate ending for each sentence, in the jumbled list on the right:

a	2 millions de tonnes de pommes	**1**	ont été retrouvés.
b	La police	**2**	sera barrée.
c	Quatre corps	**3**	ont été tuées.
d	30 personnes	**4**	est équipée.
e	L'autoroute	**5**	sont consommées par an.

2 Translate each of the sentences in Exercise 1 into English.

3 Translate into French:

a Many French apples are eaten in Great Britain every year.
b Your driving licence will be taken away.
c The reasons for the incident were not known.
d Ninety-five people were killed.
e The children had not been registered.

4 What goes with what? Complete the sentences.

a	Les fraises se mangent avec …	du citron
b	Le whisky se boit avec …	un tire-bouchon
c	Une omelette se fait avec …	du champagne
d	Le poisson se sert avec …	de l'eau
e	Une bouteille de vin s'ouvre avec …	des œufs

5 Translate the following (avoid the passive by using **on**):

a I was given a bouquet of flowers.
b She was offered a cup of coffee.
c He was lent a pair of trousers. [**prêter**]
d We were shown our room. [**montrer**]
e I was told to wait here.

Vocabulaire

The numbers refer to the exercises in this Unit.

1

J'en ai marre!	I've had enough!
supporter	to stand, endure
Qu'est-ce que tu as?	What's the matter with you?
laisser leurs vêtements traîner	to leave their clothes lying around
un peu partout	all over the place
n'avoir pas les moyens	not be able to afford
un studio	bedsit
un quartier	area, part of town
un coin-cuisine	kitchen area
Enfin, on verra	Well, we'll see
le loyer	rent
les charges (*fpl*)	expenses, costs
l'agence immobilière (*f*)	estate agent's

2

une pièce	a room
à deux étages	on two floors

4

c'est-à-dire	that is to say
une porte-fenêtre	French window
plutôt	rather
le micro-ondes	microwave
le sèche-linges	tumble-drier
des étagères (*fpl*)	shelves
le magnétoscope	video recorder
la platine laser	CD player
le lavabo	washbasin

6

à louer	to let
meublé	furnished
un stagiaire	someone on placement
le propriétaire	owner

7

tuer	to kill
s'écraser	to crash
le décollage	take-off
le membre d'équipage	crew member
enregistrer	to register
le meurtre	murder
un clochard	tramp
en fuite	in flight/running away
inculper	to accuse
remettre en liberté	to set free again
l'enquête (*f*)	inquiry
se poursuivre	to continue
l'incendie (*m*)	fire
blesser	to injure
le périphérique	ring road
les travaux (*mpl*)	roadworks
la bretelle	slip road
le volant	steering wheel
le sang	blood
un délit	crime
le permis de conduire	driving licence

12

le saumon	salmon
le béton	concrete
repérer	to locate, find
la renaissance	rebirth
menacer	to threaten
le barrage	dam
le confluent	confluence
défiler	to march
la crue	rise in water level
le carcan	vice-like grip
outre	besides
idée force (*f*)	key idea
la désignation	nomination

Avec un partenaire

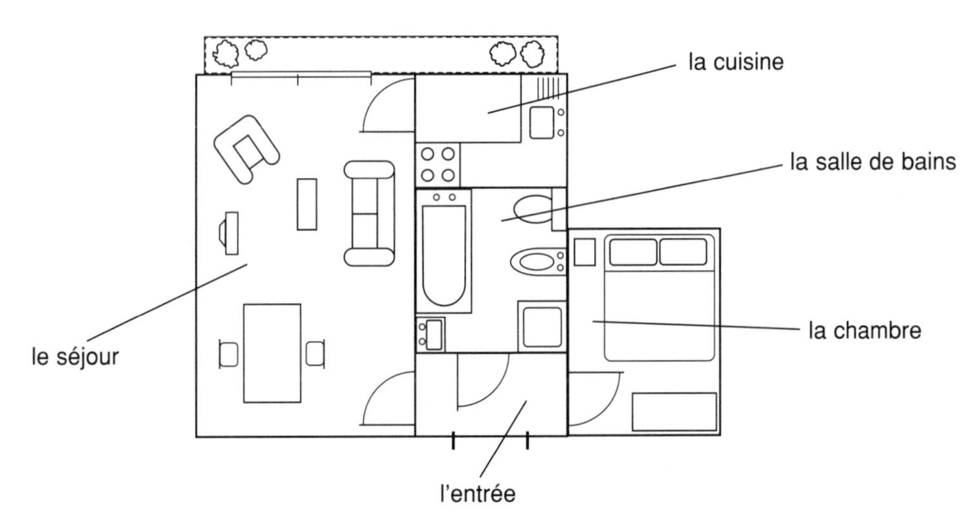

1 You are the estate agent showing your partner round this one-bedroomed flat. Counter each of your partner's objections about the size of the rooms, the rent and so on, by contradicting him/her, and trying to do a 'hard sell' on the flat. For example, you could say that you have seen smaller ones!

The rent of this flat is 565 euros per month, with expenses of 45 euros.

2 You are very interested in French food and what you should eat or drink together:

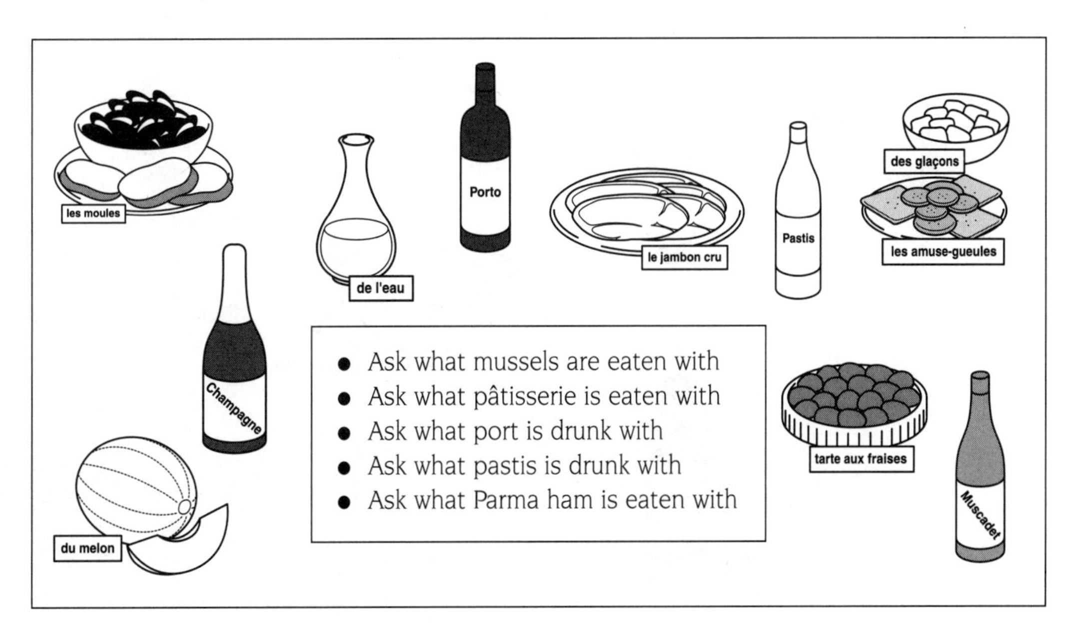

- Ask what mussels are eaten with
- Ask what pâtisserie is eaten with
- Ask what port is drunk with
- Ask what pastis is drunk with
- Ask what Parma ham is eaten with

Avec un partenaire

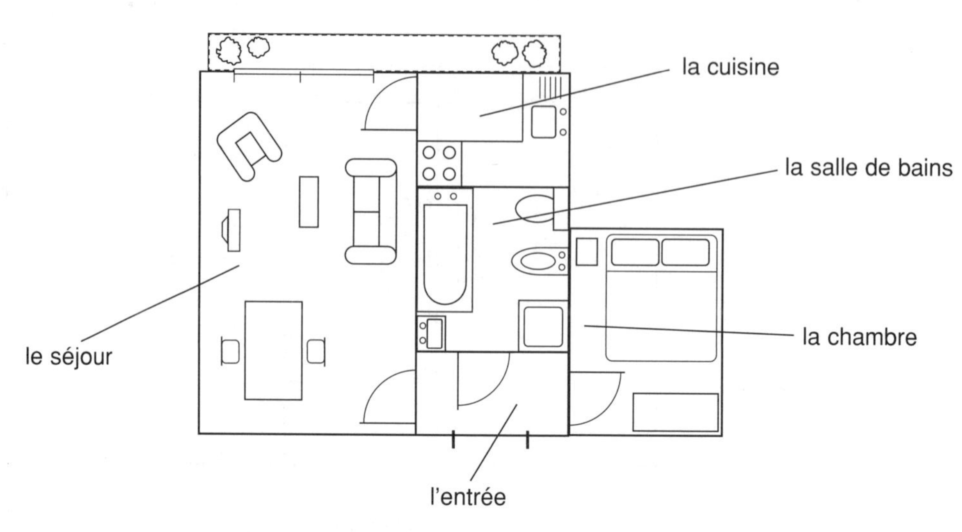

1 Your partner is the estate agent showing you round the flat above. Make some objections about the size of some of the rooms and ask questions, e.g. concerning the rent and costs. Decide whether the flat is suitable for your needs and, if you are interested, tell the estate agent you'll ring back later.

2 Your partner is very interested in what is eaten or drunk together in France. He/She keeps asking: **Ça se mange avec quoi? Ça se boit avec quoi?** Provide some answers, using the pictures below to guide you!

The purpose of this unit is to revise the structures and situational language you have covered in the course, with a special emphasis on providing practice in oral work.

Outside classtime with your teacher, you could get together with a member of your group or with a native speaker to do as much talking as you can.

1 En train ... ou en voiture?

MARTIN:	Allô, oui, bonjour. Martin Lecomte à l'appareil.
JEAN-PIERRE:	Martin! Ici Jean-Pierre.
MARTIN:	Jean-Pierre, comment ça va? Tu es déjà rentré en France?
JEAN-PIERRE:	Ben, non. Je suis toujours à Londres mais je compte passer le week-end prochain à Paris.
MARTIN:	Bonne idée! C'est le week-end du 22–23 avril, c'est ça?
JEAN-PIERRE:	C'est ça. Tu es libre ce week-end-là?
MARTIN:	Oui, c'est-à-dire qu'il y a l'anniversaire de Claire samedi soir mais elle va t'inviter, j'en suis sûr.
JEAN-PIERRE:	Tu peux me loger?
MARTIN:	Bien sûr! Mais écoute, tu viens en voiture ou quoi?
JEAN-PIERRE:	Je pensais venir en voiture, mais est-ce qu'il est difficile de se garer près de chez toi?
MARTIN:	Impossible! Tu peux te garer dans le parking des Halles mais ça coûte assez cher, 25 euros pour une période de 24 heures.
JEAN-PIERRE:	Oh là là! Tu ne sais pas combien c'est pour prendre le train?
MARTIN:	150 euros de Londres à Paris.
JEAN-PIERRE:	Et le car?
MARTIN:	C'est le moins cher – tu peux quelquefois obtenir un billet spécial à 75 euros mais le voyage est long. Tu pars à environ onze heures du soir et tu arrives à la Madeleine à six heures du matin.
JEAN-PIERRE:	Bon, je vais voir tout cela et je te dirai mon heure d'arrivée la semaine prochaine.
MARTIN:	D'accord. J'attends ton appel. Si tu n'arrives pas à me contacter, tu as mon adresse, n'est-ce pas?
JEAN-PIERRE:	Oui, appartement C, 63 rue Malraux, c'est ça?
MARTIN:	Voilà, c'est ça. Si je ne suis pas chez moi, je laisse la clé chez les voisins au 65 rue Malraux.
JEAN-PIERRE:	D'accord, merci, hein.
MARTIN:	De rien. A bientôt.

2 Questions (Exercice 1)

a Who is phoning whom?
b Where are they both?
c On what date is Jean-Pierre coming to visit?
d Is Martin free that weekend?
e Where will Jean-Pierre stay?
f What problem might Jean-Pierre have if he goes by car?
g How much does it cost?
h How much does the train cost?
i And the coach?
j What's the drawback of the coach?
k What is Martin's address?
l Where should Jean-Pierre pick up the key if Martin is out?

3a Je compte passer le week-end à Paris

Match up the French and English in the following list:

a Are you free that weekend?
b I was thinking of coming by car.
c Are you back in France already?
d I'll leave the key with the neighbours.
e I intend to spend the weekend in Paris.
f I'm still in London.
g Can you put me up?
h I'll tell you my arrival time.

1 Tu peux me loger?
2 Je laisse la clé chez les voisins.
3 Je suis toujours à Londres.
4 Tu es libre ce week-end-là?
5 Je te dirai mon heure d'arrivée.
6 Je pensais venir en voiture.
7 Tu es déjà rentré en France?
8 Je compte passer le week-end à Paris.

3b Allô, oui, bonjour

Work with a partner. Role-play the telephone conversation in which one of you does most of the talking! Remember to swap roles.

A

- Hello
- I'm coming to …
  (the town where **B** lives)
- Give a date which is convenient – ask are you free?
- Ask if they can put you up
- Say you will be coming by car/bus/train (ask about parking restrictions) (price?)
- Enquire about their address
- Ask where they leave the key, if they are out
- Say thanks, I'll see you soon

B

- Hello
- Oh, fantastic!
- Say you are free
- Say you can/cannot
- Reply
- Give your address
- Explain about your keys
- Say goodbye

4 Je suis contre!

Ecoutez le dialogue et répondez aux questions.

MARTIN: Salut, Claire. Comment ça va, toi?
CLAIRE: Ça va. Un peu fatiguée mais enfin ... Et toi, quoi de neuf?
MARTIN: Ben, figure-toi que je viens d'acheter une voiture!
CLAIRE: Une voiture? A Paris? Mais pourquoi? Le métro est si pratique.
MARTIN: Oui, mais pour partir le week-end, aller à la campagne, il faut une voiture.
CLAIRE: Mais non! Je suis contre, moi! Avec ta voiture, tu vas polluer un peu plus l'environnement et avec les bouchons qu'il y a sur les autoroutes, on est toujours coincé ... non, tu as tort, je pense.
MARTIN: Mais si je la partageais avec toi? Je viendrais te chercher, on irait à la Fac ensemble.
CLAIRE: Absolument pas! J'y suis toujours allée en vélo, j'aime bien.
MARTIN: Tu exagères quand même. Tu ne veux vraiment pas la partager?
CLAIRE: Non, je ne suis pas d'accord avec toi sur ce point. Avec les transports en commun, le métro, le TGV etc. on arrive très bien à se déplacer sans avoir besoin d'une voiture. Un point, c'est tout!
MARTIN: Tu as peut-être raison enfin .... Mais tu ne vas pas refuser de rendre visite à mes parents ce week-end?
CLAIRE: Non.
MARTIN: Et comme ils vivent à 10 kilomètres de la gare la plus proche, tu ne vas pas refuser d'y aller en voiture?
CLAIRE: Non. Là, tu as tout à fait raison. Il est très difficile de se déplacer à la campagne sans voiture. J'accepte ton invitation avec plaisir.

a Pourquoi Claire est-elle contre les voitures?
b Quel est le point de vue de Martin?
c Comment préfère-t-elle aller à la Fac?
d Qu'est-ce qu'elle accepte vers la fin du dialogue?

5 Pour et contre

a En groupes de deux: après avoir écouté le dialogue et lu le texte, essayez de reconstruire le dialogue. Les mots-clé vous aideront.

Martin	Claire
– acheter voiture	– Paris!, métro
– week-end, campagne	– polluer, bouchons
– partager	– vélo, transports en commun
– parents 10 km gare, refuser aller voiture?	– raison, campagne, accepter invitation

b Résumez les arguments pour et contre les voitures. Ajoutez votre propre opinion. Structurez vos arguments comme suit:
La voiture est un des fléaux de la société moderne. Avec une voiture, on ...
Certains par contre disent que la voiture est indispensable. Selon moi, ...

6a Pour ou contre?

Put the following expressions in the **Pour** (for/agreement), or the **Contre** (against/disagreement) column below, as appropriate. Add other expressions you know to each list.

Pour	Contre

Je ne suis pas d'accord avec toi!

Tu exagères!

Absolument pas!

Tu as tort!

Bon. OK.

Tu as peut-être raison.

Mais non! Je suis contre.

6b Mais non!

Work with a partner. Express your views in answer to their opinions about the newspaper headlines below.

1 One of you starts the ball rolling by choosing one of the topics and using one of the introductory phrases below:

Il semble que …	Il paraît que …
Je pense que …	Je trouve que …
Je crois que …	

2 The other counters the remark with one of the expressions of disagreement listed in the **Contre** column of Exercise 6a.

3 Time how long you and your partner are able to keep each conversation going.

ALERTE ROUGE ! La chocomanie n'existe plus

Pour passer des vacances idéales – il faut partir avec ses enfants/parents

Etudes universitaires – une vie de rêve.

Les maths – c'est facile !

L'activité sportive la plus relaxante ? 6 sur 10 favorisent le saut à l'élastique

7 Qu'est-ce tu as l'intention de faire ...?

MARTIN: Ça y est, les examens sont terminés déjà. Tu as des projets pour l'été?

GASTON: J'ai pas vraiment eu le temps d'y penser. Je sais que je vais en Australie à partir du mois de septembre. J'espère trouver un emploi là-bas et financer mon voyage. Mais il faut d'abord gagner de l'argent pour payer le billet d'avion.

MARTIN: Pas facile. Mais tu avais un boulot dans une banque l'année dernière, n'est-ce pas? Est-ce qu'ils ne vont pas t'embaucher de nouveau cette année?

GASTON: Oui, je pense. Je vais leur poser la question. Pour l'instant, je ne pense qu'à passer une semaine ou deux à me détendre. J'irai peut-être à la plage – j'ai mes cousins à Hossegor.

MARTIN: Ah! Tu fais du surf?

GASTON: Oui, je ne suis pas très fort mais ça va. Et puis l'ambiance est tellement agréable. Et toi, que penses-tu faire?

MARTIN: J'ai déjà trouvé un emploi dans une agence de voyages. Je serai polyvalent: agent de comptoir, administration, comptabilité ...

GASTON: Ça a l'air très intéressant, ça. Et tu auras des réductions sur les vols?

MARTIN: Oui, on bénéficie d'une réduction de 5% sur les vols. Mais on n'a que cinq semaines de vacances par an ...

GASTON: C'est peu par rapport aux vacances universitaires ... Et tu as l'intention de poursuivre une carrière dans ce domaine-là ou c'est juste un petit boulot que tu fais en attendant une ouverture ailleurs?

MARTIN: Pour l'instant, c'est un petit boulot mais qui sait, tiens? Il y a assez d'ouvertures dans ce métier-là. Je pourrais très bien devenir P.-D.G.!

GASTON: Bravo! Quand est-ce que tu commences?

MARTIN: Lundi prochain.

GASTON: Oh là là!

MARTIN: Mais je prends deux semaines de vacances au mois d'octobre.

GASTON: Où penses-tu aller?

MARTIN: Je n'ai rien réservé. Au dernier moment on a des offres spéciales et c'est ce que je vais faire. Partir soit au soleil – en Grèce, peut-être – soit à New York.

GASTON: Superbe! Mais on va rester en contact, hein? Tu as mon courrier éléctronique?

MARTIN: Gaston.Lefèvre@caramail.com, c'est ça?

GASTON: Voilà, c'est ça. Allez, bon courage!

MARTIN: Merci, à toi aussi. Ciao, Gaston!

GASTON: Ciao!

8 Ecoutez le dialogue 7.

Complétez les phrases suivantes:

a Gaston a l'intention de ...
b Mais il faut d'abord ...
c Il va peut-être pouvoir travailler ...
d Mais pour l'instant il ne pense qu'à ...
e Un avantage du poste de Martin, c'est qu'on peut profiter des réductions ... pour ...
f Pour les vacances, il pense aller...
g Les jeunes hommes ont l'intention de...

9 Tu sais jouer de la guitare? Tu as des projets pour le week-end?

Talk to your partner about your leisure pursuits and try to find something you could do together one Saturday. Here are some suggestions:

10 Lire

Bonjour, Martin
Je suis arrivé à Paris aujourd'hui (mardi 18)! J'ai fait
le voyage de Londres avec une amie en voiture. Comme
je n'avais pas beaucoup d'argent, c'était une bonne
solution. Mais tu n'as pas laissé la clé chez le voisin
– qu'est-ce qui s'est passé? Figure-toi que j'ai perdu
l'adresse et le numéro de téléphone de Claire. Je vais
essayer de contacter Gaston – mais je pense que lui
aussi, il a changé d'adresse. J'ai mon portable sur moi
– tu peux me contacter? – C'est le 0777-45-67-89.
En attendant ton appel,

Jean-Pierre

Martin arrives home and finds this note from Jean-Pierre pinned to his front door. Read it and summarise its main points in English.

11 Ecrire

Martin phones Jean-Pierre's mobile and has to leave a message.
Write down how he will:

- greet Jean-Pierre
- say sorry for not being at home when Jean-Pierre arrived
- say he had to go to the university this morning
- say he has a problem and cannot put Jean-Pierre up
- say he has spoken with Gaston
- say Gaston will put him up
- give Gaston's telephone number: 01 34 67 43 98
- say 'See you later, Martin'.

Extra!

12 Je voudrais réserver une chambre

Ecoutez ces quatre messages qui ont éte enregistrés sur le répondeur d'un hôtel. Remplissez la grille:

Nom	Combien de chambres?	Date(s)?	Douche/ Salle de bains?	Informations?	No. de tél./adr. email
Cazettes					
Fournand					
O'Reilly					
Benaissa					

13

Read the magazine article about avalanches and answer the questions.

Note: you don't have to understand every word. If you really need to, check the vocabulary list at the back of the book – or consult a dictionary.

Peut-on prévenir les avalanches ?

Un guide rescapé raconte

Cet hiver 1982, il fait beau et froid sur le mont Tenibre (3100m) dans les Alpes du Sud. Les deux guides, encadrant 10 clients dans un raid à skis, ont un pressentiment. Deux jours plus tôt, d'importantes chutes de neige ont eu lieu sur le col. Les professionels ont espacé les skieurs, règle de sécurité no. 1. Pourtant, l'avalanche va piéger Daniel Stolzenberg, professeur à l'Ecole nationale de ski et d'alpinisme.

'J'entends le "baoum" de la plaque qui casse ...'

C'est le bruit caractéristique de l'avalanche. Je crie à mes clients : 'Surtout restez debout'. Pour ma part, si j'avais fait 1,50 ou 2 m en arrière, je serais sorti de l'avalanche. Trop tard. Elle me prend, me couche, la tête en bas, les skis en l'air ...

'Je suis enfoui sous 80cm de neige'

Mais je sais parfaitement que l'on peut mourir à moins d'un mètre sous la neige. Je tends la main au-dessus de moi, sors le bout des doigts, je vois un petit peu de bleu. J'arrache le bouchon de neige qui m'obstrue le nez et la bouche. Il était temps : des cercles noirs et rouges dansent devant mes yeux, mon cœur s'emballe et cogne à 180 pulsations.

'La neige se compacte et m'emprisonne'

La neige se compacte à l'image d'une boule de neige dont je suis prisonnier. Je sens venir la paralysie. Trente interminables minutes – mes compagnons me retrouveront et me retireront, pourtant, grâce à l'expertise de l'autre guide.

[©*Ça m'intéresse*, Olivier Hertel, No 227 Janvier 2000 p.89]

a Why did the guides suspect there might be an avalanche?
b What is safety rule number 1?
c What did Daniel Stolzenberg shout to his clients?
d How much snow is all it takes to kill you?
e What effect did the snow blocking his nose and mouth have on him?
f How long did it take the others to rescue him?

Exercices de grammaire

1 The present tense

Fill in the correct parts of the verb in the present tense:

Le week-end, j' **a** _________ [aimer] bien me relaxer. Je **b** _________ [se lever] tard – vers onze heures et je **c** _________ [prendre] un petit déjeuner assez complet.

Normalement, mes amis me **d** _________ [téléphoner] avant midi et on **e** _________ [faire] nos projets pour le week-end.

Quelquefois, on **f** _________ [aller] en ville. Quelquefois, nous **g** _________ [partir] à la campagne faire du canoë ou de la marche.

Mes meilleurs amis, Anne-Marie et Philippe, **h** _________ [être] très sportifs. Moi, je **i** _________ [préférer] le cinéma et la musique. Mais nous **j** _________ (se disputer) rarement. On **k** _________ [réussir] toujours à s'amuser.

2 Making plans

Match up each expression on the left with an appropriate one from the right-hand column:

a Tu as des projets pour le week-end?
b Tu fais ton petit job dans le supermarché?
c Ça te dit d'aller à la campagne?
d On pourrait rendre visite à Michel à Reims.
e Oui, vendredi soir ou samedi matin.

1 Bonne idée! On part vendredi?
2 D'accord, je t'appellerai jeudi.
3 Non, je ne travaille pas le week-end.
4 Non, je n'ai rien planifié.
5 Oui, je veux bien.

3 Talking about the past

Rewrite the story below in the past using imperfect and perfect tenses as appropriate.

Je me couche très tard. Je ne réussis pas à dormir pourtant. Je suis trop excité(e). Des souvenirs de la journée me traversent sans cesse l'esprit. Le moment où tu m'embrasses en descendant du train. Le petit déjeuner que nous prenons ensemble sur la terrasse du café. Les musées, les monuments que nous visitons, le dîner qu'on prépare et qu'on mange chez toi. Dans ton studio. Avec son nouveau canapé – blanc – sur lequel je renverse un verre de vin – rouge. Tu ne m'excuses pas. On se dit adieu. Et je pleure. Je cours jusqu'à la station de métro. J'arrive chez moi vers une heure du matin. J'essaye de dormir mais je ne peux pas. Je me lève, j'écris ce message et finalement je m'endors assis(e) sur le fauteuil dans le séjour.

Exercices de grammaire

4 Questions

You meet someone at a party. Their replies are on the right but what were your questions? Fill them in:

a ______________________________ Non, je ne viens pas de Paris.
b ______________________________ Je suis de la Normandie.
c ______________________________ Oui, je suis étudiant(e).
d ______________________________ Etudes commerciales avec langue anglaise.
e ______________________________ Je terminerai l'année prochaine.
f ______________________________ Bien sûr! Je serais ravi(e) de te rendre visite en Grande-Bretagne.

5 Object pronouns

Rewrite, using pronouns (**le**, **la**, **l'**, **les**, **lui** or **y**) to replace the phrases which are underlined:

a Jean-Pierre a téléphoné <u>à Gaston</u>.
b Gaston n'était pas <u>à la maison</u>.
c Jean-Pierre voulait prêter <u>ses CDs</u> <u>à Gaston</u>.
d Il n'arrive pas à contacter <u>Martin</u>.
e Il donne un coup de fil <u>à Claire</u>.
f Claire invite <u>Jean-Pierre</u> chez elle.
g Elle est obligée de donner quelque chose à manger <u>à Jean-Pierre</u>.
h Plus tard il rentre <u>chez Gaston</u>.
i Et les CDs? 'Ah, j'ai oublié <u>les CDs</u> dans l'appartement de Claire!'

6 Modal verbs

Complete with the correct form of **devoir**, **pouvoir**, **savoir** or **vouloir**:

a Tu _________ m'accompagner au match?
b C'est quand? Je ne _________ pas y aller demain, je travaille.
c Ah! Ces étudiants, ils _________ toujours travailler. Non, c'est dimanche.
d Super. On _________ bien y aller. C'est quelle équipe?
e Martial. C'est une équipe qui _________ gagner.
f Mais ils ne _________ pas jouer au football, ceux-là!

7 Adverbs

Create the adverb from each adjective:

a automatique **b** graduel **c** remarquable **d** actuel **e** éventuel

Note: **actuel** (current), and **éventuel** (possible) are 'false friends' i.e. they look the same but have different meanings in French and English.

Exercices de grammaire

8 Relative clauses

Correct or complete the sentences by connecting the clauses on the left and the right with the correct relative pronoun: **qui, que, qu'**

a J'ai un chat	j'aime beaucoup.
b Mon voisin a un chien	est très méchant.
c Ils adorent mon appartement	est au rez-de-chaussée.
d Ils se poursuivent dans le jardin	on plante régulièrement avec des fleurs.
e Il y a un jardinier	est très vieux.
f Il déteste les animaux	il essaye de chasser de son jardin.

9 Expressions of wishing followed by an infinitive

Rewrite the sentences with the correct word order.

a personnel – de – voir – plaît – le – vous – je – s'il – souhaite – chef
b le – candidature – poser – voudrais – poste – ma – pour – je
c place – désire – je – travailler – sur
d préfèrent – normalement – jeunes – voyager – les
e euros – d'un – de – 1750 – envie – salaire – j'ai

10 'If' clauses and the conditional

Match each clause from list **A** with the appropriate clause from list **B** to make full sentences:

A	**B**
a Si j'étais riche,	**1** si Jean-Pierre arrive à l'heure.
b On irait à la plage	**2** je travaillerai en France cet été.
c S'il y avait un poste libre,	**3** je t'inviterais au restaurant.
d Nous irons au cinéma	**4** s'il faisait beau temps.
e Si j'arrive à bien parler français,	**5** on vous contacterait.

11 The passive

Translate the sentences, changing from the passive (in English) to the active (in French). (Use either a reflexive verb or **on**.)

a Oysters [**les huîtres**] are eaten with a good white wine.
b Champagne is drunk with the dessert.
c English is spoken here.
d Foreign newspapers are sold in this kiosk.

12 Now translate these newspaper headlines into English:

a Huit personnes ont été tuées dans un incident de route.
b Les causes n'étaient pas connues hier.
c Un jeune homme a été soumis à l'alcootest.
d Un passant a été interrogé par la police.

Avec un partenaire

1 Ask your partner what they did last summer (use **tu**).

Did you:
- go to a disco? **[aller en discothèque]**
- bungee-jump? **[faire du saut à l'élastique]**
- go walking? **[faire de la randonnée]**
- go mountain-biking? **[faire du vélo tout terrain]**
- go abroad? **[aller à l'étranger]**
- have to work all summer? **[devoir travailler tout l'été]**
- if so, where?
- what plans do you have for this year? **[quels projets as-tu ... ?]**

2 Your partner is interviewing you for the following summer job (use **vous**). Be ready with some answers.

SAFARAID a besoin d'animateurs pour nos stages d'été.

Il faut :

- savoir faire du canoë
- avoir un permis de conduire
- avoir un contact facile avec les clients
- avoir une maîtrise de la langue anglaise
- être honnête
- fournir des références
- être disponible à partir du 15 juin

Avec un partenaire

1 Your partner will ask you what you did last summer (use **tu**).

Did you:
- go abroad?
- have to work all summer?
- if so, where?
- what plans do you have for this year?

2 You are interviewing your partner for a summer job as a youth leader with a canoe hire centre called SAFARAID. Make sure he/she has the necessary qualifications (use **vous**).

Can you … canoe? speak English? provide references? drive?

Are you … honest? dynamic? available from 15th June?

Do you … get on with people?

Exercices supplémentaires

1 Ah! Les vacances

1 Ecouter

Listen to Martin and Corinne introducing themselves.
Read through the questions below, listen to the conversation again and answer the questions in French:

1

Martin Lecomte

a Où est-il allé en vacances cette année?
b Avec qui est-il parti?
c Qu'est-ce qu'ils ont vu?
d Ont-ils voyagé en avion?
e Qu'est-ce qu'il a perdu?
f Ça a gâché les vacances?

2

Corinne Blanchard

a Est-elle allée à l'étranger cette année?
b Pourquoi pas?
c Qu'est-ce qu'elle a fait?
d Avec qui a-t-elle passé ses vacances?
e Ça s'est bien passé?
f Qu'espère-t-elle faire fin décembre?

2 Ecouter et parler

A French friend is asking you about what you did in the holidays.
Listen to the recording and say your part after the prompts spoken in English.

3 Lire

Read the extract below and answer the questions that follow in French.

L'île Sainte-Marguerite
Méditerrannée

L'île Sainte Marguerite fait partie des îles Lérins, tout près de la ville de Cannes. La circulation automobile est interdite sur l'île et la nature est protégée. Là, si vous êtes passionné de planche à voile ou de plongée sous-marine, vous trouverez le stage qui vous convient.

Le centre

Le centre est situé dans un vieux fort classé monument historique. Pour les sportifs, l'activité continue tard dans la nuit. Tous les soirs, c'est la fête au château.

Les sports

Planche à voile
Pour les débutants
Possibilité de cours planche à voile le matin ou l'après-midi. Avec en plus, du kayak et de la plongée.

Catamaran
Pour les débutants
Si vous n'êtes jamais monté sur un catamaran, votre chance est arrivée! Possibilité de cours de catamaran le matin ou l'après-midi. Avec en plus, du kayak et de la planche à voile.

Plongée
Tous niveaux
Découvrez et familiarisez-vous avec le 'sixième continent' en apprenant la plongée dans les conditions de sécurité.

a L'île Sainte-Marguerite, c'est où?
b Peut-on y aller en voiture?
c Quels sont les sports qu'on y pratique?
d Est-ce qu'il y a des activités le soir?
e Si vous faites de la planche à voile, quelles autres activités peut-on pratiquer?
f Est-ce que vous êtes déjà monté sur un catamaran?
g Quand est-ce que vous pouvez suivre les cours de catamaran au centre de l'île Sainte-Marguerite?
h Quelles autres activités sont offertes avec le stage de catamaran?
i Qu'est-ce que c'est que le 'sixième continent'?
j L'idée de faire de la plongée au centre de l'île Sainte-Marguerite vous fait peur? Pourquoi (pas)?

4 Lire et parler

Here is the schedule for a two day reconnaissance trip to Nice and to Ajaccio in Corsica for a famous singer, Marie-Jeanne Pujols. Everything went entirely to plan.

Recount what she did (in speech or writing).

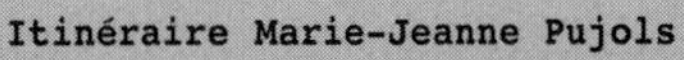

Itinéraire Marie-Jeanne Pujols

PARIS : départ avion : 30 juillet 13h36
arrivée à Nice : 14h10

- Rendez-vous avec le directeur du festival : 15h00
- Apéritif à l'Hôtel de Ville : 17h00
- Départ d'avion pour la Corse : 19h00
- Arrivée à Ajaccio : 19h30
- Dîner officiel - Restaurant des Bonaparte - 20h00
- Réservation pour la nuit du 30 juillet : Hôtel des Etrangers, Promenade des Acacias
- Départ de l'aéroport d'Ajaccio : 31 juillet 10h05
- Arrivée à Paris : 11h15

5 Lire et écrire

On your return from holiday, you find the following post-card from a French friend. Draft a reply in French.

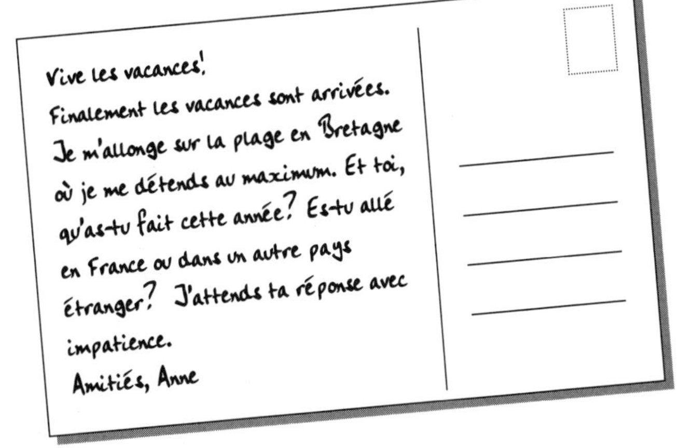

Vive les vacances!
Finalement les vacances sont arrivées. Je m'allonge sur la plage en Bretagne où je me détends au maximum. Et toi, qu'as-tu fait cette année? Es-tu allé en France ou dans un autre pays étranger? J'attends ta réponse avec impatience.
Amitiés, Anne

6 Ecrire

Write a draft for a brochure about a tourist destination or activity centre in your own country which you think French people would like to visit. Use the extracts from French brochures in Unit 1 to help. (See Exercises 6, 13 and Exercise 3, page 130)

2 Tu es sortie hier?

1 Ecouter

Listen to Corinne and Martin talking about themselves.
Answer the questions in French.

a A quelle heure Corinne s'est-elle couchée hier soir?
b Et Martin qu'a-t-il fait hier soir?
c A quelle heure est-il arrivé à la boulangerie ce matin?
d Que raconte-t-il sur Jean-Marc?
e Corinne trouve-t-elle que Jean-Marc a bien choisi?
f Avec qui Corinne habite-t-elle?
g Pourquoi n'étaient-elles pas à la maison hier soir?
h Le voleur qu'a-t-il volé?
i Donnez une description physique du voleur.

2 Ecouter et parler

A French friend is asking you about what you did last night.
Listen to the recording and say your part after the prompts spoken in English.

3 Lire

Read the extract below and answer the questions that follow in French.

Inspecteur Drouot considérait les événements du 13 mars. Le vol a eu lieu à 23h15. Les diamants valaient des millions d'euros. Les mouvements des suspects principaux étaient les suivants.

Jeanne Lefèvre est sortie avec Charles Delmas. Ils se sont rendus au restaurant 'Chez Josiane' vers 20h30. Charles Delmas est rentré chez lui et il s'est couché vers onze heures. Le concierge a confirmé son histoire. Jeanne Lefèvre habite seule, personne ne l'a vue ce soir-là. Elle est rentrée à la maison à dix heures et demie mais, comme elle ne pouvait pas dormir, elle est sortie faire un tour à pied. Elle s'est promenée au bord de la rivière. Elle est revenue chez elle mais elle a oublié la clé de la maison. Elle a pu finalement entrer dans la maison par une fenêtre. Elle s'est couchée tout de suite. Mais elle ne sait pas à quelle heure.

Martine Fourmière a passé la soirée toute seule. Elle est infirmière et elle travaille de nuit, de 23h00 jusqu'à six heures du matin. Elle s'est couchée pendant l'après-midi et elle s'est levée vers six heures du soir pour prendre son petit déjeuner. Mais comme elle était très fatiguée, elle s'est endormie devant la télévision et elle est arrivée tard à l'hôpital, vers 23h30. L'hôpital ne pouvait pas confirmer l'heure de son arrivée.

a Quand le vol a-t-il eu lieu?
b Qu'a-t-on volé?
c Avec qui Jeanne Lefèvre est-elle sortie?
d Qu'est-ce qu'ils ont fait?
e A quelle heure Charles Delmas est-il rentré à la maison?
f Pourquoi Jeanne s'est-elle promenée au bord de la rivière la nuit?
g A quelle heure s'est-elle couchée?
h Martine Fourmière que fait-elle comme métier?
i Quel horaire fait-elle?
j Pourquoi est-elle arrivée tard à l'hôpital ce soir-là?

4 Parler

Below is a story told in pictures, of a student's journey to university one morning. Tell the story twice, once using **Elle ...** and once using **Je ...**

5 Quelque chose de merveilleux m'est arrivée ...

You receive this letter from a French friend.
Write a similar account in French, using the framework below as a model but adapting the details:

- name of the person you fall in love with
- where it happened
- what (s)he said
- what happened next etc.

Chers amis,

Je m'excuse de ne pas avoir écrit plus tôt mais quelque chose de merveilleux m'est arrivé. Vous savez que je suis allée en Grèce cette année. Imaginez ma surprise - j'ai recontré l'amour de ma vie! Il s'appelle Yannis. Je suis arrivée à l'aéroport d'Athènes le 12 juillet mais mes bagages ne sont pas arrivés. Il a fallu retourner à l'aéroport pour les récupérer deux jours plus tard. Yannis travaille à l'aéroport et il m'a beaucoup aidé. Il m'a dit où il fallait aller pour prendre le bus et il m'a accompagnée à la porte de mon hôtel. On est sortis à une 'taverna' ce soir. Bref, on est tombés amoureux. Je suis rentrée en France pour tout expliquer à ma famille mais maintenant je suis installée dans un bel appartement en plein centre d'Athènes. On se voit tous les jours et j'ai obtenu un poste dans une société multi-nationale où il faut parler anglais, français et italien. Je suis très heureuse. J'espère que tout va bien pour vous aussi.

Avec toutes mes amitiés,
Martine

3 Temps libre

1 Ecouter

Listen to Martin and Corinne having a friendly conversation. Say whether the following statements are true or false:

Vrai ou faux?

a Martin habite chez ses parents.
b Sa nouvelle adresse est 17 boulevard Richelieu.
c Le studio se situe en face de la librairie.
d Il est en plein centre de la ville.
e Corinne est libre ce soir et va lui rendre visite.
f Martin fête son anniversaire vendredi soir.
g Corinne est prise ce soir-là.
h La fête commence à 8h30.
i Corinne va apporter une pizza.
j Le numéro de téléphone de Martin est le 45-98-32-56.

2 Ecouter et parler

A French friend is asking you whether you are free this evening.
Listen to the recording and take part in the conversation after the prompts in English.

3 Lire

Read the extract from Sandrine's letter, then answer the questions that follow in French.

Je m'appelle Sandrine et je suis très sportive. J'adore la gymnastique et je pratique aussi la musculation, le squash, l'aérobic et la danse. Je passe tout mon temps dans le centre sportif. Mais le vendredi soir je sors avec mes copains. On aime bien aller au cinéma, manger au restaurant et aller en boîte pour danser. Quand je suis libre le week-end, j'invite des gens. Samedi dernier, comme je viens de déménager, on a pendu la crémaillère. J'ai préparé beaucoup à manger et on s'est bien amusés. La soirée a commencé à vingt heures et je me suis couchée à trois heures du matin. Dimanche matin, je suis allée au centre sportif et j'ai joué au squash avec une amie. Cela m'a fait du bien.

a Sandrine dit qu'elle est sportive. Pourquoi?
b Où passe-t-elle beaucoup de temps?
c Que fait-elle le vendredi soir?
d Et le week-end?
e Qu'a-t-elle fait samedi dernier?
f Ça s'est bien passé?
g A quelle heure la fête s'est-elle terminée?
h Qu'a-t-elle fait dimanche matin?

4 Make these sentences more friendly by using **tu** instead of **vous**:

a Vous êtes libre ce soir?
b Cela vous dit d'aller au cinéma?
c Qu'est-ce que vous proposez?
d Qu'est-ce que vous recommandez?
e Je ne vous ai pas compris.

5 Lire et parler

The following note comes through your door. You phone up to say that unfortunately you have exams the following day and cannot make it.

Write down what you will say in case you get your friend's answerphone. Then speak your message out loud.

Chers amis,

Demain c'est mon anniversaire – figurez-vous que j'aurai 21 ans ! Je vous invite à fêter ça avec moi et beaucoup d'autres au Restaurant de l'Hôtel des Etrangers, près de la gare à 20 heures.

Thierry
R.S.V.P. : tél 34-56-73-86

4 Dans le passé

1 Ecouter

Listen to Martin talking about his life.
Answer the true/false questions below:

Vrai ou faux?

a Martin a un oncle qui est marié avec une Anglaise.
b A 14 ans il n'aimait pas l'école.
c Il voulait aller en Angleterre.
d Ses parents l'ont persuadé de continuer sa scolarité à Londres.
e Il est resté trois ans à Londres.
f Il détestait l'Angleterre.
g Il a fait beaucoup de petits boulots.
h Il a travaillé dans un bar.
i C'était bien payé.
j Le métier de pompiste l'a ennuyé.
k Il a travaillé comme guide touristique à Londres.
l En sortant de l'université, il veut monter sa propre entreprise.
m Il n'a pas de petit job pour le moment.
n Il habite chez ses parents.
o Les droits d'inscription pour les universités françaises sont très élevés.

2 Ecouter et parler

A French friend is asking you your opinion about the 35-hour week.
Listen to the recording and say your part after the prompts spoken in English.

3 Lire

Read the extract about Marcel's life when he was young and answer the questions that follow in French.

Quand Marcel était jeune, sa famille allait tous les dimanches passer la journée chez son oncle. Marcel adorait ces journées, surtout l'été, parce que son oncle habitait près de la mer et ils pouvaient aller à la plage. Ils se baignaient et souvent ils mangeaient des moules-frites dans un petit kiosque sur la plage même.

Plus tard, quand il était adolescent, Marcel a pris un job d'été dans la même ville. Il vendait des glaces à la plage tous les jours pendant tout l'été. Il pouvait loger chez son oncle. Il payait sa nourriture, bien entendu, mais quand même il a pu faire des économies pour s'acheter une moto – la moto qu'il a toujours voulue!

a Pourquoi Marcel aimait-il aller chez son oncle quand il était jeune?
b Que faisait-il?
c Que mangeait-il?
d Quel était son job d'été quand il était adolescent?
e Où logeait-il?
f Que payait-il?
g Qu'a-t-il acheté?

4 Lire et parler

How often do you do it? Read the following list of activities about how often the average French person [**le Français moyen**] engages in them. Then speak about how you compare in these activities with the French national standard.
Example:
Je vais moins souvent au cinéma que le Français moyen – j'y vais une fois par mois.

Aller au cinéma – une fois par semaine	**Pratiquer un sport** – rarement
Partir en vacances – deux fois par an	**Lire le journal** – souvent/tous les jours
Regarder la télévision – 3h19 par jour	

5 Lire et écrire

The following extract from an article about the effect of mobility on couples appeared in *Ça m'intéresse* Fill the gaps with the appropriate verbs.

voulaient	reprenait	ont sévré	mourait	partageait	naissait

Il n'y a pas si longtemps on .....(a)..... et on .....(b)..... dans la maison de ses ancêtres, on .....(c)..... le travail de papa et de grand-papa et on .....(d)..... le meilleur et le pire toute sa vie durant avec la même personne.

Puis un mot magique a apparu : 'Mobilité'. Plus question de rester toute sa vie dans le même endroit. Les milieux professionnels le .....(e)..... bien, cette mobilité, mais mobilité rime avec CDD (contrat de durée déterminée) et les couples aussi sont affectés. 'Mobilité' a pénétré notre intimité, les distances .....(f)..... les liens entre deux individus de sexe opposé. [© *Ça m'intéresse*, Corinne Allavena, No. 210 Août 1998 p.3]

6 Qu'en pensez-vous?

How have changes in people's mobility affected your life? For instance, was your (grand)mother's or (grand)father's life different to yours in terms of mobility? Did you have to split up with your boyfriend or girlfriend when you went to university?
Write a paragraph in which you express your views.
Example:

La vie de mes grands-parents était différente d'aujourd'hui. Ils ont passé toute leur vie dans la même ville et dans la même maison. Je leur rendais visite tous les samedis et la maison restait toujours la même. Mes parents par contre ont déménagé beaucoup. Personnellement, je ...

5 Le partenaire idéal

1 Ecouter

Listen to Martin and Corinne talking about themselves and their partners. Answer the questions in French.

a Martin mesure combien?
b Et combien de kilos fait-il?
c Que fait-il pour garder la forme?
d Hélène est-elle grande ou petite?
e Pourquoi Martin et Hélène se sont-ils séparés?
f Jules comment est-il?
g C'est un gangster?
h Selon Corinne, Martin que doit-il faire?
i Corinne sort avec qui maintenant?
j De quelle nationalité est l'homme idéal de Corinne?
k Notez trois autres caractéristiques de cet homme.

2 Ecouter et parler

You are talking to a friend at a party. You see someone looking at you. You think you have met before …
Listen to the recording and say your part after the prompts in English.

3 Lire

Read the text and look up any words you do not know. Then answer the questions below.

Vrai ou faux?

La margarine est moins grasse que le beurre.

C'est faux. Ils ont autant de graisses ou lipides : 82%. Consommez plutôt le beurre cru pour son goût, son apport en vitamine A, en acides gras saturés ou mono-insaturés. La margarine convient mieux à la cuisine pour équilibrer les acides gras, puisque les siens sont polyinsaturés. Tous deux sont très caloriques : 750 cal. pour 100g.

1 Is it true that margarine is less fatty than butter?
2 What are the advantages of butter?
3 When is it better to use margarine?
4 There are seven different adjectives in this text (one is used twice). Write them down.
5 There are four adverbs in the text. Which are they?

4 Lire et écrire

Read the following email from a French colleague and write a reply in which you describe yourself in such a way that Christophe can recognise you when he arrives at Waterloo station.

Cher collègue,

Je vous écris un mot pour confirmer l'heure de mon arrivée chez vous. Je prends le train à Paris demain matin et j'arrive à Waterloo à 14h30. Pouvez-vous venir me chercher à la gare?

Vous n'allez peut-être pas me reconnaître facilement. J'ai 22 ans. Je ne suis pas très grand – de taille moyenne – et j'ai les cheveux raides et noirs. Je porterai un pantalon gris et une veste verte.

J'aurai sur moi tous les documents pour notre réunion et un portable, bien sûr, pour prendre des notes.

Dans l'attente de vous rencontrer finalement, je vous souhaite une bonne journée.

A demain!
Christophe

5 Ecrire

An advertisement for '8 à huit' supermarkets (open from 8 a.m. till 8 p.m.) shows a fortune-teller, with a client, gazing into a crystal ball:

The fortune-teller is saying 'Je vois un homme aux petits soins pour vous, toujours souriant, serviable, vous le rencontrerez juste en bas de chez vous.'

The client is thinking 'Tiens, elle aussi elle doit faire ses courses chez '8 à huit'.'

Using the phrases you have learnt for describing people in this unit and based on the '8 à huit' example, make up some of your own versions of the fortune-teller scenario intended as advertisements for your favourite garage, dentist, newsagent's, pub, eating-place, and so on.

1 Ecouter

Listen to this person talking about his job application to Avis France and find out:

a what he needs to send
b the closing date for applications
c what special qualities they are looking for
d whether it is a permanent or a temporary job
e when and where the interviews will take place.

2 Ecouter et parler

Listen to the recording and take your part in the conversation. You are phoning to make enquiries about a job advertisement.

3 Lire

Read the advertisement below and answer the questions that follow.

THE DOCUMENT COMPANY XEROX
Chez Xerox, on compte sur votre énergie

INGENIEURS DE VENTE H/F PARIS-PROVENCE

Jeune diplômé bac + 2/3[1], commerce, gestion, ingénieur informatique ... ou avec une première expérience dans le domaine high-tech. Vos études, vos stages ou votre cursus vous ont appris à analyser et à comprendre l'activité des grandes entreprises et des administrations.

'Enfant d'Internet' et de la micro, vous aimez ce nouveau monde numérique. Vous saurez écouter nos clients.

Votre profil : enthousiaste, motivé et avec une bonne maîtrise de l'anglais !

Pas de temps à perdre : envoyez votre candidature sous référence IVGC/F1G01/B par fax au 01 49 10 95 72 ou plus simple encore, déposez-la sur notre site web. www.xerox.fr

a What kind of job is on offer?
b Is it open to both men and women?
c What qualifications do you have to have?
d What sort of university course do you have to have followed?
e What other specific qualities are mentioned in the advertisement?
f What two ways of sending in your application are mentioned?

[1] bac plus deux/trois = 2 or 3 years of study post A-level

4 Lire et parler

Re-read the advertisement and say why you think you are a good candidate for the post.

5 Lire

Read the following letter in which Peter McDonald is applying for one of the posts in the Sales Force at Xerox.

M. Peter McDonald
91 Calton Road
Manchester M61 2BD

Xerox
MBE 153
225, bd Jean Jaurès
92100 Boulogne

IVGC/F1G01/B

Manchester, le 25 juin 2003

Messieurs,

Suite à notre conversation téléphonique à propos des postes d'Ingénieurs de Vente dans votre compagnie, veuillez trouver ci-joint mon curriculum vitae.

Je suis jeune diplômé en Marketing de l'Université de Manchester où je suis des cours supplémentaires de langue française. J'ai eu une première expérience dans un environnement high-tech : l'année dernière, j'ai passé trois mois en stage d'entreprise dans le siège britannique de Xerox à Londres. J'ai donc quelques connaissances de l'administration.

J'ai une bonne maîtrise de la langue anglaise, bien entendu – c'est ma langue maternelle – et je connais bien les outils informatiques, y compris l'Internet.

J'espère bien que ma candidature retiendra votre attention. Je suis disponible début juillet quand vous avez prévu des journées d'information et de sélection.

Veuillez agréer, messieurs, l'expression de mes sentiments les plus dévoués,

Peter McDonald

Peter McDonald

Write down how he says:

- **a** I am a recent graduate in marketing.
- **b** I have been following a supplementary course in French.
- **c** I spent three months on a job placement.
- **d** your British headquarters in London
- **e** I am knowledgeable about software applications.
- **f** Yours sincerely,

6 Ecrire

Write a letter of application of your own for this post, filling in your own address and details of your own qualifications and past experience (if any). Follow the format of the letter in Exercise 5 carefully.

7 J'arrive mardi

1 Ecouter

Listen to the conversation between Corinne and Martin. Answer the questions in English.

- **a** What is Corinne thinking of doing at Easter?
- **b** How far is it from Grenoble?
- **c** Where will Corinne's brothers be?
- **d** Will Corinne and Martin be able to ski in Grenoble?
- **e** Why not?
- **f** How long does it take to drive from Paris to Grenoble?
- **g** What day do they decide to leave Paris?
- **h** What does Corinne say about her part-time job at the supermarket?
- **i** What do they plan to do this evening?
- **j** Where and when will they meet?

2 Ecouter et parler

You are arranging a trip to Lille. You are discussing your travel and accommodation arrangements with a French friend who lives there.
Listen to the recording and take your part in the conversation.

3 Lire et parler

Look at the following timetable which shows departure and arrival times for the Eurostar.

eurostar

LONDON ASHFORD CALAIS–FRÉTHUN LILLE BRUSSELS/PARIS

TRAIN NO	9078	9108	9002	9110	9006	9008	9010	9116	9012
LONDON	05.15	06.14	06.19	06.53	07.23	07.53	08.23	08.27	08.53
ASHFORD	06.16	07.15	07.19	07.53	08.24	–	09.23	09.27	–
CALAIS-FRÉTHUN	–	–	08.56	–	–	–	–	–	
LILLE	–	09.18	–	09.56	–	–	–	11.29	11.51
BRUSSELS	–	10.02	–	10.37	–	–		12.10	
PARIS	09.23	–	10.23	–	11.23	11.47	12.23	–	12.53

You want to go to Paris for the weekend. Choose some times which fit in with your university timetable and prepare to leave a message on the answering machine of your French friend, saying what possibilities there are for your departure and arrival times. Practise saying the times out loud.
Note that the French use the 24-hour clock for train times.

4 Lire et écrire

TOURISME VERNEY

Samedi 27 juin

■ Départ de Rennes Gare Routière à 12h45, pour ANGERS : arrêt devant le château – route des bords de Loire jusqu'à SAUMUR. Dégustation de vins de Saumur. Dîner à Saumur.

■ Vers 22h, spectacle son et lumière au château de Saumur. Un voyage fantastique à travers le temps. Après le spectacle, retour à Rennes. Arrivée vers 3 heures du matin.

PRIX PAR PERSONNE

42 euros pour les adultes
36 euros pour les enfants de moins de 10 ans

CE PRIX COMPREND

- le transport en autocar de grand tourisme
- le dîner, boisson comprise
- la dégustation de vins
- le spectacle son et lumière au château de Saumur

You want to arrange a day's excursion with a French friend and his eight-year-old twins. You think they might enjoy the day out to Saumur, described in the brochure above. Work out how much it will cost for the four of you and then write a fax in French to your friend, telling him:

- the departure time
- the price
- the itinerary for the day.

5 Ecrire

These are the times of the last Eurostar train from Paris to London on a Sunday evening.

Paris :	21.13
Ashford :	22.11
Londres :	23.16

Write a brief email in French to your friend in Paris, saying:

- it is essential that you catch this last train back to London after your weekend there
- you have your French oral exam on Monday morning
- you are looking forward to seeing him/her and what you want to do in Paris.
- Sign off appropriately.

8 L'entretien d'embauche

1 Ecouter

Listen to the recording. Say whether the following statements are true or false:

Vrai ou faux?

a Corinne is a good candidate for the job.
b She has qualifications in Applied Science.
c She applied for the job because she speaks good English.
d She prefers to work on her own.
e At university there were not many strict deadlines.
f Corinne has a lot of professional experience.
g She spent six weeks at Minorex.
h She would like to use her languages and work in e-Sales.
i She could start work on 19th June.
j The salary is 1,200 euros a month.
k It is a permanent job.
l The firm will contact her tomorrow.

2 Ecouter et parler

You are being interviewed for a job.
Listen to the recording and take your part in the conversation.

3 Lire

Read the letter in which Jean-Louis plies Colin with questions.
What are, in English, the seven questions Jean-Louis asks?

Nice, le 14 mai

Mon cher Colin,

Je suis ravi que tu aies posé ta candidature pour le poste chez France Telecom à Sophia Antipolis – ce n'est pas loin de chez nous. Les entretiens auront lieu à quelle date ? Prendrais-tu l'avion ou le train ?

Et si on t'embauchait, quand commencerais-tu ? Le poste serait-il un poste permanent ou un contrat à durée déterminée ? Continuerais-tu tes études en Grande-Bretagne ? Si finalement tu venais par ici, cela te plairait de passer quelques semaines chez nous ? Nous, on ne bouge pas pendant tout l'été. Pourrais-tu prendre des vacances avant ou après la période chez France Telecom ?

Beaucoup de questions ! J'attends avec impatience tes réponses,

Gros bisous à toute la famille,

Jean-Louis

4 Lire et parler

You are applying for the post advertised here. Practise answering these questions out loud.

> Couple français, près St. Rémy Provence rech. précepteur/préceptrice mi-temps pour leur fille de 4 ans. H/F anglophone préféré. Expér. jeunes enfants, bonne éducation et vocation musicale. Salaire selon expérience. Fax 01.45.00.08.19

a Pourquoi avez-vous répondu à cette annonce?
b Avez-vous de l'expérience des jeunes enfants?
c Avez-vous eu une bonne éducation?
d Aimez-vous la musique? Savez-vous jouer d'un instrument musical?
e Quand pourriez-vous commencer?

5 Lire et écrire

You are logged on to an electronic chat-room with your opposite number in France. You are negotiating some deadlines. Continue the conversation – in French – along the lines suggested in English (in brackets).

```
MARCUS (GB) : Ecoutez, Jacques, je regrette, je ne
pourrai pas terminer ce travail avant le 14 novembre - la
date limite.
JACQUES (Fr) : Ah! Mais les délais sont fixés. Il faut
terminer ...
MARCUS : Reconnaissez que les délais sont très courts.
Je pense pouvoir tout terminer avant le 31 novembre.
JACQUES : Hors de question!


MARCUS : [Here's what I suggest. We take on Jeremy for
two weeks to finish on time.]
JACQUES : [OK - that's a more interesting suggestion.]
MARCUS : [You agree?]
JACQUES : [Yes, that seems reasonable.]
MARCUS : [That's settled then. I'll phone Jeremy today
and contact you later.]
JACQUES : [Agreed. Thanks, Marcus.]
```

6 Ecrire

Either:
Reply to Jean-Louis' letter to Colin (Exercise 3)
Or:
Write a fax to the couple looking for a tutor/nanny (Exercise 4), in which you apply for the post, giving details of your qualifications and experience.

9 Je cherche un logement

1 Ecouter

Listen to the conversation between Martin and Anne-Marie.
Answer the questions in English.

a Why is Anne-Marie surprised that Corinne is moving?
b What is the rent for the studio on the fourth floor?
c And how much are the costs?
d What three drawbacks are mentioned?
e What advantages are there?
f How long will it take Corinne to get to the university by underground?
g When can Corinne move in?
h What does she say she'll need help with?

2 Ecouter et parler

You are phoning the estate agent to find out if he has a studio flat to rent.
Listen to the recording and take your part in the conversation.

3 Lire et parler

Look at the plan of Martin's parents home in Britanny below and say what can be found on each floor and in each room. Record what you say on tape.

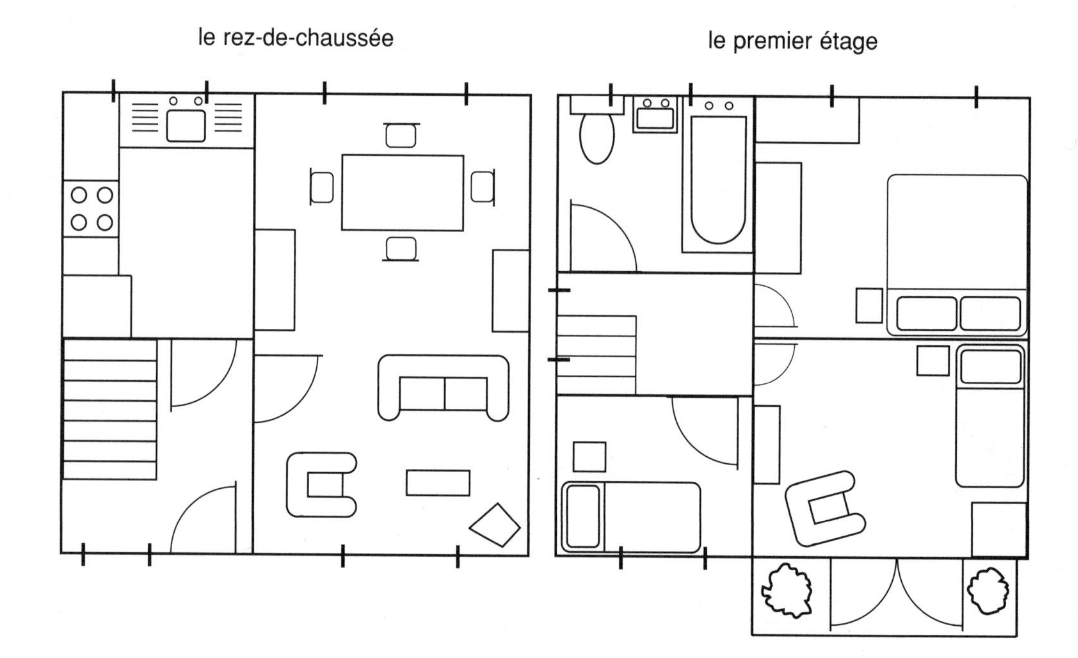

4 Lire

Using the vocabulary at the back of the book to help, translate the following news items from a daily paper into English:

LES POINTS CHAUDS DE L'ACTUALITÉ

23 TUÉS DANS UN INCIDENT DE TRAIN

23 personnes ont été tuées dans un incident de train hier près de Figeac dans le Lot. Les raisons n'étaient pas connues. 56 blessés ont été transportés à l'hôpital à Cahors. La police poursuit ses investigations.

ASSASSIN CONDAMNÉ À 30 ANS

Pierre Navelot qui se rêvait en 'serial killer' a été condamné à trente ans de réclusion pour le meurtre d'une jeune femme. Son complice a pris 28 ans.

50 PRINTEMPS POUR LE SMIC

Créé par décret il y a 50 ans, le salaire minimum est fixé à 6,12 euros brut de l'heure depuis le 1er juillet et concerne près de 2 millions de salariés.

HORS DES PISTES BATTUES

Apparue en Russie il y a 10.000 ans, la raquette est désormais très en vogue. Silencieuse, peu coûteuse, facile à pratiquer, la raquette se vend mieux que le surf.

5 Ecrire

Along the lines of the newspaper articles in Exercise 4, write five or six headlines for dramatic events which have featured in the news in the last days or weeks. Try to practise the passive – or use a reflexive verb to avoid it!

10 Révision

1 Ecouter

Listen to the conversation between a passenger and a railway official about train times. Jot down the following information:

a On what day and date does the passenger wish to travel?
b When does the passenger wish to return?
c What time does the train leave Paris-Gare du Nord?
d What time does it arrive in Caen?
e What time does the train leave Caen on the return trip?
f What time does it arrive in Paris?
g What platform does the train depart from on Sunday?

2 Ecouter et parler

You are making arrangements to meet up with someone.
Listen to the recording and take your part in the conversation.

3 Lire et écrire

Read the two advertisements for 'activity' holidays.

ESCALADE
LA PALUD-SUR-VERDON
ALPES HAUTE PROVENCE

Perfectionnement. Minimum 16 ans.
Durée : 5j.
Prix : 300 euros
Dates : 20.7–24.7 ; 10.8–14.8

PROGRAMME : Les stages se déroulent du lundi matin au vendredi soir. Ils s'adressent aux grimpeurs déjà confirmés. Niveau demandé : IV et V+. Travail en moulinette, passage en libre, en tête et en sécurité, afin d'arriver à 'faire' les grandes voies classiques du Verdon.

FARNIENTE
CHAMROUSSE ISERE
"APPRENDRE A NE RIEN FAIRE"

Tous niveaux. Minimum 14 ans.
Durée : 7j.
Prix : 150 euros
Dates : 28.6–05.7 ; 05.7–12.7; 12.7–19.7; 19.7–26.7; 26.7–02.8; 02.8–09.8; 09.8–16.8

PROGRAMME : Programme sur mesure, à partir des envies de chacun. Logement en chambres de 2 ou 3 avec douches. Soirée animée par les séjournants. Pour les fous de l'activité, ski d'été, delta-plane, parapente, tennis, équitation, piscine etc.

You decide to offer your services as a youth leader on one of the holidays advertised. Write down which one you would prefer and why.

4 Lire et parler

Horaire SNCF Paris–St-Malo

Numéro du train		141	7623	3607	3655	3609	3709
Notes à consulter :		*1*	*2*	*3*	*4*	*5*	*6*
Paris Montparnasse	D	07.07	–	08.34	09.08	11.37	11.52
Rennes	A/D	10.15	10.25	11.59	12.31	15.14	15.22
St-Malo	A	–	11.24	12.57	13.30	16.05	16.12

Notes

1 Circule : jusqu'au 26 juin et à partir du 7 sept. : tous les jours sauf les dim. et les fêtes. 1re classe certains jours.

2 Circule : jusqu'au 26 juin et à partir du 7 sept. : tous les jours sauf les dim. et fêtes.

3 Circule : jusqu'au 26 juin et à partir du 6 sept. : tous les jours.

4 Circule : du 27 juin au 5 sept : tous les jours.

5 Circule : les 6, 13, 20 juin, 12 et 19 sept.

6 Circule : du 27 juin au 5 sept : tous les jours.

You have a summer job in Paris. It is Sunday 30th June. You have arranged to meet up with a friend in St. Malo for the day. Decide which train you will take.

Practise:

- the conversation at the station when you buy your ticket
- the telephone conversation with your friend, in which you say which train you will be arriving on and why you have chosen that one.

5 Lire et écrire

Read the example, then write a description of the person you love!

Example:

Il est grand, il a les cheveux noirs et les yeux bleus, il fait à peu près 70kg. Il est habillé en jean avec un pull vert. Il porte des lunettes et il a une boucle d'oreille! Il est de nationalité grecque. Il ne fume pas mais il boit quelquefois de la bière. Il fait des études d'ingénieur.

6 Ecrire

You decide to apply for a summer job at the Montpellier branch of a famous British chain store. The application form asks for the following information. Copy and complete.

Ce que vous aimez faire de votre temps libre : ....

Ce que vous pouvez contribuer : ....

Pourquoi considérez-vous que vous aimeriez bien travailler chez nous ? ....

Language learners often feel unsure about grammatical terms. The following list gives some simple definitions.

- **Reference is made to French only when something distinctive about that language needs to be noted.**
- **Grammatical terms explained in the list appear in bold type.**
- **This guide is concerned only with the meanings of grammatical terms. A separate French grammar summary begins on page 152: items covered there are cross-referenced here with the abbreviation (G).**

Adjective A word used to describe a **noun** ('an interesting woman'; 'the curry is hot'). See also **demonstrative adjective**, **possessive adjective**. (G)

Adverb A word which describes (a) the action of a **verb** ('she sings beautifully', 'he cooks well') or, (b) modifies (= gives further information about) an **adjective** ('it's a really expensive car') or (c) modifies another adverb ('she sings really well'). (G)

Agree In English, **adjectives** do not change their form, but in French they have to agree with the noun they are describing in **gender** and **number**: if the noun is feminine, the adjective must be in the feminine form; if the noun is plural, so is the adjective. (G)

Article The (called the definite article); a or an (called the indefinite article). (G)

Auxiliary verb A supporting **verb** combining with another verb to form a **compound tense**. ('She has gone' = the auxiliary verb 'to have' used here to form the perfect tense by combining with the **past participle** of the verb 'to go'.) In French, both *avoir* and *être* are auxiliary verbs used to form the perfect tense: 'Il a conduit' (he drove); 'Elle est partie' (She left/She has left).

Comparative Form of an **adjective** or **adverb** expressing a greater or lesser degree. Adjectives: 'that room is bigger than this one'; 'they've bought a more expensive car'; adverbs: 'it happens more often than you think'. See also **superlative**. (G)

Compound tense A tense which is made up (compounded) of two parts: an **auxiliary verb**, which is either *être* or *avoir*, and a past participle. 'Je suis allé(e)' and 'ils ont mangé' are examples of compound verbs.

Conditional A form of the **verb** used to say what would happen if a certain condition were met. In English, it is formed by combining the **auxiliary verb** 'would' with the **infinitive** of another verb ('if he had the money, he would go to America'). (G)

Conjunction A word which joins parts of a sentence ('he was tired and he wanted to go home'; 'they arrived early because they wanted a good place').

Demonstrative adjective These 'point out' **nouns** (this chair/these chairs; that house/those houses). (G)

Direct object The word which directly undergoes the action of the verb. In the sentence 'she sent her mother a present', what she sent was a present, so that is the direct object. She did not send her mother! See also **Indirect object**.

Gender In French, all **nouns** have a grammatical **gender**, masculine or feminine, and **adjectives** have to **agree** with it.

Imperative Verb form used in giving commands and instructions ('Turn left now!').

Indirect object A secondary **object**. In the sentence 'she sent her mother a present', the direct object, the thing which is sent, is the present. It was sent to her mother, the indirect object.

Infinitive The basic form of a **verb** ('to sing'; 'to write'). (G)

Irregular verb Verb that does not follow a standard pattern. (G)

Modal verb One of a group of verbs which combines with another verb to express possibility, obligation or permission. For example, can, could, should, must, may. (G)

Noun Word denoting a person ('student'), a thing ('book') or an abstract idea ('happiness'). (G)

Number Whether a word is **singular** or **plural**. (G)

Object The **noun** or **pronoun** which undergoes the action of the **verb**: 'We bought a house'; 'I saw him'.

Object pronoun **Pronoun** representing the **object** of the **verb**: me, you, him, her, it, us, them. (G)

Passive Verb form in which the **subject** undergoes the action of the **verb**. There are various **tenses** (e.g. 'she is seen'; 'she has been seen'; 'she will be seen', etc). (G)

Past participle Part of the **verb** which combines with an **auxiliary verb** to form the perfect tense ('they have arrived'; 'I have seen') or another **compound tense**.

Plural More than one: the plural of 'man' is 'men'. (G)

Possessive adjective For example, 'my house', 'your friend', 'his car', etc. (G)

Preposition For example, 'on the table', 'under the chair', 'to the station', 'for the teacher', etc. (G)

Pronoun Word taking the place of a **noun**. 'Peter saw the waitress' becomes 'he saw her'. (G)

Reflexive verb In French, a **verb** formed with an extra pronoun (called a reflexive pronoun). For example, se laver (to get washed): je me lave, il se lave, vous vous lavez, etc.

Regular verb **Verb** that follows a standard pattern (see page 159). (G)

Relative pronoun **Pronoun** used to refer back to a noun earlier in the sentence. For example, 'the man who lives there is very old'; 'the book which he chose ...'; 'the woman/film that he saw ...'.

Singular One rather than many: the singular of 'bananas' is 'banana'. (G)

Subject Who or what carries out the action of the **verb**. 'A student sent me this email'; 'we are travelling next week'; 'the letter arrived yesterday'.

Subject pronoun Pronoun representing the **subject** of the **verb**: I, you, he, she, it, we, they. (G)

Superlative Form of an **adjective** or **adverb** expressing the maximum degree. Adjectives: 'the oldest inhabitant', 'the most expensive car'; adverb: 'Joan sings loudest'. (G)

Tense Form taken by a **verb** to show when the action takes place. For example, present tense: 'they live in New York'; past tense: 'they lived in New York'; future tense: 'they will live in New York', etc. (See G for notes on the various tenses in French, and verb tables on page 159 for the patterns for regular and irregular verbs).

Verb Word indicating an action ('they ate their dinner') or a state ('the book lay on the table'). Different **tenses** are used to show when something happened. (G)

This grammar summary covers:

- Nouns (and things that go with nouns)
- Verbs (and things that go with verbs)
- Numbers and dates

Note that there is a verb table, starting on page 159. See also the Guide to grammatical terms on pages 150–1.

Nouns (and things that go with nouns)

Nouns are words like **étudiant**, **croissant** or **bonheur**, i.e. they denote a person or other living thing, an object or idea/concept.

1 They are usually accompanied by an *article*.

2 They usually add **-s** in the plural (**étudiants**), as in English, but there are a number of irregular plurals.

3 They may be accompanied by *adjectives* which:
- describe them – **délicieux**, **intéressant**, **grand**
- say 'this' or 'that' (*demonstrative adjectives*)
- say who they belong to (*possessive adjectives*)

4 They can be replaced by *pronouns* which may be:
- subject pronouns
- direct object pronouns
- indirect object pronouns

Each of these points is explained below.

1 Articles

	Definite	Indefinite	Partitive
	the	**a**	**some/any**
masculine singular	le/l'	un	du/de l'
feminine singular	la/l'	une	de la/de l'
masculine plural	les	des	des
feminine plural	les	des	des

Note that the partitive articles: **du**, **de la**, **de l'**, **des** change to **de**/**d'** in three situations:
- after negative expressions – **je n'ai pas de pain**
- after expressions of quantity – **je voudrais un litre de vin**; **elle a beaucoup d'amis**
- in the plural, when an adjective precedes the noun – **on vend de très belles fleurs**

2 Plurals

Nouns usually simply add an **-s** in the plural (you do not hear the **s** in the spoken form: you know the noun is plural from the article **les/des**).

Singular: **l'étudiant** (the student)
Plural: **les étudiants** (the students)

A number of nouns, however, have irregular plural forms.

a) nouns already ending in **-s**, **-x** or **-z** remain unchanged in the plural: **le bras – les bras**, **le fax – les fax**, **le nez – les nez**

b) nouns ending in **-al** or **-ail** end in **-aux** in the plural: **l'animal – les animaux**, **le travail – les travaux**

c) nouns ending in **-au** or **-eu** form their plural by adding **-x**: **le gâteau – les gâteaux**, **le neveu – les neveux**

d) some plurals are highly irregular: **un œil – les yeux**

Note that **l'œuf – les œufs** looks straightforward but has an unusual pronunciation. In the singular the '**f**' is pronounced, in the plural the '**f**' is not pronounced.

3 Adjectives[1]

a) Adjectives agree in gender and number with the noun they accompany:
- ***La*** **pâtisserie est** ***délicieuse*** **en France.** **U*ne*** **femme intéressant*e*.**
- ***Les*** **petits jobs sont** ***difficiles*** **à trouver.** ***Des*** **maisons modernes.**

b) Adjectives normally come after the noun (**un homme** ***heureux***) but some come before, such as **bon**, **petit**, **grand**, **beau** (e.g. **un** ***petit*** **problème**).

c) Add **plus** and **le/la/les plus** before adjectives to express '-er' and '-est', 'more …' 'most …' . Note that while in English we say 'closer' and 'closest', but not 'intelligenter' and 'intelligentest' ('more intelligent' / 'most intelligent'), in French the system is simpler. In both cases, you say 'plus …' and 'le plus …': **plus intelligent** – 'more intelligent', **le plus intelligent** – 'most intelligent'. Use **que** for 'than'.
Je cherche un appartement ***plus proche*** **du centre.**
I'm looking for a flat nearer the centre.
Je cherche l'appartement ***le plus proche*** **du centre.**
I'm looking for the flat (that is) nearest to the centre.
Jean est ***plus intelligent que*** **Pierre.**
Jean is more intelligent than Pierre.
Les films ***les plus intéressants*** **ne passent pas à la télé.**
The most interesting films aren't shown on the TV.

d) Add **moins** and **le/la/les moins** before adjectives to express 'less …' and 'the least …'.
La margarine est ***moins grasse que*** **le beurre? Non, c'est faux.**
Margarine is less fatty than butter? No that's false.

[1] See also Unit 5, page 62

e) There are demonstrative[2] and possessive adjectives:

	Demonstrative adjectives this/that/these/those	Possessive adjectives my, your, his/her, our, your, their
masculine singular	**ce**, **cet** (before a vowel or 'h')	**mon**, **ton**, **son**, **notre**, **votre**, **leur**
feminine singular	**cette**	**ma**, **ta**, **sa**, **notre**, **votre**, **leur**
masculine plural	**ces**	**mes**, **tes**, **ses**, **vos**, **nos**, **leurs**
feminine plural	**ces**	**mes**, **tes**, **ses**, **vos**, **nos**, **leurs**

Note that possessive adjectives agree with the noun they are describing and not the person doing the possession:

- fem.sing.
  Je m'appelle Jean-Luc. Ma petite amie est Mélanie.

  My name is Jean-Luc. My girl-friend is Mélanie.

- **Son frère fait des études à l'université où nous suivons notre cours de français.**
  masc.sing. masc.sing.
  Her brother studies at the university where we are following our French course.

- fem.sing.
  Il vient souvent nous chercher dans sa voiture. He often comes to fetch us in his car.

4 Pronouns

Subject		Direct object[3]		Indirect object[3]		Emphatic* (see p.155)	
je	I	**me/m'**	me	**me/m'**	to me	**moi**	me
tu (informal)	you	**te/t'**	you	**te/t'**	to you	**toi**	you
il	he	**le/l'**	him, it	**lui**	to him/it	**lui**	him
elle	she	**la/l'**	her, it	**lui**	to her/it	**elle**	her
on	'one', we, they						
nous	we	**nous**	us	**nous**	to us	**nous**	us
vous (all plurals and singular formal)	you	**vous**	you	**vous**	to you	**vous**	you
ils (masc.)	they	**les**	them	**leur**	to them	**eux**	them
elles (fem.)	they	**les**	them	**leur**	to them	**elles**	them

Note that object pronouns come between the subject or subject pronoun and the verb.
Most often the indirect object pronoun ('<u>to</u> me', '<u>to</u> you', etc.) comes before the direct object pronoun.

[2] See also Unit 6, page 74
[3] See also Unit 3, page 36

For example:

Son vélo? Eh bien, il me l'a donné! His bike? He has given it to me!

il	**me**	**l'**	**a donné**
subject pronoun	indirect object pronoun	direct object pronoun	verb

But when both pronouns start with the letter '**l**' (**le**, **la**, **les**, **lui**, **leur**) the direct object pronoun comes before the indirect object pronoun.

For example:

Il me l'a donné. (He gave it to me.)
BUT **Il le lui a donné.** (He gave it to him).

* The emphatic pronouns are used:

a) to emphasise the person(s) involved:
Je veux y aller, *moi*, mais *lui*, il ne veut pas! I want to go, but *he* doesn't!

b) after prepositions, such as **avec**, **à côté de**, **avant**, **après**, **derrière**, **chez**:
Je me suis assise derrière *lui*. I sat down behind him.
Il habite près de chez *moi*. He lives near me.

Verbs (and things that go with verbs)

(For the patterns of regular verbs in the main tenses, see the verb table beginning on page 159, which also lists the most common irregular verbs.)

Verbs are often described as 'doing words'.

1 They can help situate actions in time: in the present, in the future, in the past and so on.
2 They can be used:
to make statements
to ask questions
in the negative
in the conditional
in the infinitive after modal verbs: **devoir**, **pouvoir**, **savoir**, **vouloir**.
3 They can be active or passive. The subject of a passive verb is, as suggested by its name, passive, at the sharp end of the action of the verb.
4 They may be accompanied by adverbs which show how, when or where an event took place.

1 Situating events in time

Tenses can help situate events in time, but WATCH OUT! Just because you are using the present tense, it does not mean you are necessarily talking about the present – you might be talking about the future.

The present tense in French is used to talk about:

- things you habitually do
Je prends le métro pour aller à la Fac tous les jours.
I take the underground to go to the University every day.
- something you are in the middle of doing right now
Je mange maintenant. I'm eating now.

- something you are going to do in the near future

  Je vais en France cet été. I'm going to France this summer.

The future tense[4] is used to talk about future events:

  Je visiterai Paris. I'll visit Paris.

BUT you can also use **aller** + the infinitive:

  Il va arriver à l'heure. He's going to arrive on time.

The perfect tense[5] is used to talk about completed actions/events which mark one action in a story.

  Je suis allée en Grèce. I went to Greece.
  Il est parti. He has gone.
  J'ai déjà mangé. I have already eaten.

The imperfect tense[6] is used for descriptions, and for situations or actions which were on-going at the time when an event took place:

  Il faisait beau. Il y avait beaucoup de monde au café. Tout le monde s'amusait. Soudain, un vieux ivrogne est tombé dans la rue.
  The weather was fine. There were a lot of people at the cafe. Everyone was having a good time. Suddenly, an old drunk fell down in the street.

2 Questions[7], negatives[8], conditional[9] and modal verbs[10]

- Verbs can be used to ask questions in three different ways:

  a) using rising intonation: **Tu vas y aller?**
  b) inverting the subject and the verb: **Vas-tu y aller?**
  c) adding **Est-ce que ...?**; **Est-ce que tu vas y aller?**

  All those mean 'Are you going to go there?'.

- They are made negative by adding **ne/n'... pas** before and after the first verb:

  Non, je *ne* vais *pas* y aller. Je *n*'y suis *pas* allée l'année dernière.

- The conditional is used to express 'would':

  J'aimerais bien venir te dire bonjour. I would like to come and say hello to you.
  Si je n'avais pas autant de travail, je sortirais avec toi ce soir.
  If I hadn't so much work, I would go out with you this evening.

---

4 See also Unit 7, p. 86
5 See also Unit 1, p. 8 and Unit 2, p. 22
6 See also Unit 4, p. 50
7 See also Unit 1, p. 8 and Unit 2, p. 22
8 See also Unit 1, p. 8, Unit 2, p. 22 and Unit 7, p. 86
9 See also Unit 8, p. 98
10 See also Unit 5, p. 62 and Unit 6, p. 74

- They can be combined in their infinitive form with modal verbs to express obligation, wishes, certainty, permission, possibility and the ability to do something.

  devoir: **Je dois rester jusqu'à six heures.** I have to stay to six o'clock. (obligation)
  vouloir: **Nous voulons partir demain.** We want to leave tomorrow. (wishes)
  pouvoir: **Elle peut sortir ce soir.** She can go out this evening. (certainty)
  pouvoir: **Peut-elle sortir ce soir ?** Can/May she go out this evening? (permission)
  savoir: **Ils savent nager.** They can swim. (ability)

  Note the useful conditional forms of modal verbs (see pages 160–1).

  For example:
  Je pourrais rester. I could/would be able to stay, etc.
  Je devrais ... I should ... **Je voudrais ...** I'd like to ...

3 The passive[11]

All the verbs looked at so far in this section have been active verbs. This means that the subject of the sentence is the agent of the verb, i.e. the person doing the action (e.g. 'He killed the snake.').

In a passive sentence, the subject of the sentence is the recipient of the action of the verb (e.g. 'He was killed in an avalanche.').

Consider:

Un voyou attaque un vieux. A hooligan attacks an old man. = active
Un passant est attaqué (par un voyou). A passer-by is attacked (by a hooligan). = passive

The passive has as many tenses as the active.

For example:

Il est condamné à 5 ans de réclusion. He is sentenced to 5 years imprisonment.

il	**sera condamné à ...**	he	will be sentenced to ...
	serait condamné à ...		would be sentenced to ...
	a été condamné à ...		was/has been sentenced to ...

The passive is not as common in French as in English and French-speakers can avoid using it by resorting to a reflexive verb or using **on** instead:

For example:

Les repas se servent dans la salle à manger. Meals are served (*lit.* serve themselves) in the dining-room.

On nous a jetés dehors. We were thrown out. (*lit.* Someone threw us out.)

4 Adverbs[12]:

a) Adverbs are formed by adding **-ment** to the feminine form of the adjective: **parfaitement**, **clairement** – perfectly, clearly
UNLESS the adjective ends in a vowel, when the masculine is used: **vraiment**, **poliment** – really, politely.

---

11 See also Unit 9, p. 112
12 See also Unit 5, p. 62

b) Add **plus** and **le plus** to adverbs in order to translate '-er' and '-est', 'more …' '(the) most …'. (See also adjectives page 153.)

Parlez plus lentement, s'il vous plaît. Speak more slowly, please.
Martin a couru le plus vite. Martin ran fastest/the most quickly.

c) Adverbs are usually placed after the verb they modify:

J'aime toujours ce type de musique. I still like that sort of music.

Numbers and dates

Numbers

1	**un**	11	**onze**	21	**vingt et un**
2	**deux**	12	**douze**	22	**vingt-deux**
3	**trois**	13	**treize**	23	**vingt-trois**
4	**quatre**	14	**quatorze**	24	**vingt-quatre**
5	**cinq**	15	**quinze**	25	**vingt-cinq**
6	**six**	16	**seize**	26	**vingt-six**
7	**sept**	17	**dix-sept**	27	**vingt-sept**
8	**huit**	18	**dix-huit**	28	**vingt-huit**
9	**neuf**	19	**dix-neuf**	29	**vingt-neuf**
10	**dix**	20	**vingt**	30	**trente**

40	**quarante**	100	**cent**
50	**cinquante**	101	**cent un**
60	**soixante**	500	**cinq cents**
70	**soixante-dix**	546	**cinq cent quarante-six**
71	**soixante et onze**	1000	**mille**
80	**quatre-vingts**	1101	**mille cent un**
81	**quatre-vingt-un**	2000	**deux mille**
82	**quatre-vingt-deux**	1 000 000	**un million**
90	**quatre-vingt-dix**	5 000 000	**cinq millions**
91	**quatre-vingt-onze**	1 000 000 000	**un milliard**

Days of the week

lundi	on Monday
le mardi	on Tuesdays
tous les mercredis	every Wednesday
jeudi après-midi	on Thursday afternoon
le vendredi soir	on Friday evenings
samedi matin	on Saturday morning
dimanche	Sunday

Months of the year

janvier	January	**juillet**	July
février	February	**août**	August
mars	March	**septembre**	September
avril	April	**octobre**	October
mai	May	**novembre**	November
juin	June	**décembre**	December

Liste des verbes

Regular verb patterns

Infinitive	Present	Perfect	Imperfect	Future	Conditional
aimer	j'aime	j'ai aimé	j'aimais	j'aimerai	j'aimerais
	tu aimes	tu as aimé	tu aimais	tu aimeras	tu aimerais
	il/elle/on aime	il/elle/on a aimé	il/elle/on aimait	il/elle/on aimera	il/elle/on aimerait
	nous aimons	nous avons aimé	nous aimions	nous aimerons	nous aimerions
	vous aimez	vous avez aimé	vous aimiez	vous aimerez	vous aimeriez
	ils/elles aiment	ils/elles ont aimé	ils/elles aimaient	ils/elles aimeront	ils/elles aimeraient
finir	je finis	j'ai fini	je finissais	je finirai	je finirais
	tu finis	tu as fini	tu finissais	tu finiras	tu finirais
	il/elle/on finit	il/elle/on a fini	il/elle/on finissait	il/elle/on finira	il/elle/on finirait
	nous finissons	nous avons fini	nous finissions	nous finirons	nous finirions
	vous finissez	vous avez fini	vous finissiez	vous finirez	vous finiriez
	ils/elles finissent	ils/elles ont fini	ils/elles finissaient	ils/elles finiront	ils/elles finiraient
perdre	je perds	j'ai perdu	je perdais	je perdrai	je perdrais
	tu perds	tu as perdu	tu perdais	tu perdras	tu perdrais
	il/elle/on perd	il/elle/on a perdu	il/elle/on perdait	il/elle/on perdra	il/elle/on perdrait
	nous perdons	nous avons perdu	nous perdions	nous perdrons	nous perdrions
	vous perdez	vous avez perdu	vous perdiez	vous perdrez	vous perdriez
	ils/elles perdent	ils/elles ont perdu	ils/elles perdaient	ils/elles perdront	ils/elles perdraient

Irregular verbs

Infinitive	Present	Perfect	Imperfect	Future	Conditional
aller	je vais	je suis allé(e)	j'allais	j'irai	j'irais
	tu vas	tu es allé(e)	tu allais	tu iras	tu irais
	il/elle/on va	il/elle/on est allé(e)	il/elle/on allait	il/elle/on ira	il/elle/on irait
	nous allons	nous sommes allé(e)s	nous allions	nous irons	nous irions
	vous allez	vous êtes allé(e)(s)	vous alliez	vous irez	vous iriez
	ils/elles vont	ils/elles sont allé(e)s	ils/elles allaient	ils/elles iront	ils/elles iraient
appeler	j'appelle	j'ai appelé	j'appelais	j'appellerai	j'appellerais
	tu appelles	tu as appelé	tu appelais	tu appelleras	tu appellerais
	il/elle/on appelle	il/elle/on a appelé	il/elle/on appelait	il/elle/on appellera	il/elle/on appellerait
	nous appelons	nous avons appelé	nous appelions	nous appellerons	nous appellerions
	vous appelez	vous avez appelé	vous appeliez	vous appellerez	vous appelleriez
	ils/elles appellent	ils/elles ont appelé	ils/elles appelaient	ils/elles appelleront	ils/elles appelleraient
avoir	j'ai	j'ai eu	j'avais	j'aurai	j'aurais
	tu as	tu as eu	tu avais	tu auras	tu aurais
	il/elle/on a	il/elle/on a eu	il/elle/on avait	il/elle/on aura	il/elle/on aurait
	nous avons	nous avons eu	nous avions	nous aurons	nous aurions
	vous avez	vous avez eu	vous aviez	vous aurez	vous auriez
	ils/elles ont	ils/elle ont eu	ils/elles avaient	ils/elles auront	ils/elles auraient

Infinitive	Present	Perfect	Imperfect	Future	Conditional
boire	je bois tu bois il/elle/on boit nous buvons vous buvez ils/elles boivent	j'ai bu tu as bu il/elle/on a bu nous avons bu vous avez bu ils/elles ont bu	je buvais tu buvais il/elle/on buvait nous buvions vous buviez ils/elles buvaient	je boirai tu boiras il/elle/on boira nous boirons vous boirez ils/elles boiront	je boirais tu boirais il/elle/on boirait nous boirions vous boiriez ils/elles boiraient
connaître	je connais tu connais il/elle/on connaît nous connaissons vous connaissez ils/elles connaissent	j'ai connu tu as connu il/elle/on a connu nous avons connu vous avez connu ils/elles ont connu	je connaissais tu connaissais il/elle/on connaissait nous connaissions vous connaissiez ils/elles connaissaient	je connaîtrai tu connaîtras il/elle/on connaîtra nous connaîtrons vous connaîtrez ils/elles connaîtront	je connaîtrais tu connaîtrais il/elle/on connaîtrait nous connaîtrions vous connaîtriez ils/elles connaîtraient
croire	je crois tu crois il/elle/on croit nous croyons vous croyez ils/elles croient	j'ai cru tu as cru il/elle/on a cru nous avons cru vous avez cru ils/elles ont cru	je croyais tu croyais il/elle/on croyait nous croyions vous croyiez ils/elles croyaient	je croirai tu croiras il/elle/on croira nous croirons vous croirez ils/elles croiront	je croirais tu croirais il/elle/on croirait nous croirions vous croiriez ils/elles croiraient
devoir	je dois tu dois il/elle/on doit nous devons vous devez ils/elles doivent	j'ai dû tu as dû il/elle/on a dû nous avons dû vous avez dû ils/elles ont dû	je devais tu devais il/elle/on devait nous devions vous deviez ils/elles devaient	je devrai tu devras il/elle/on devra nous devrons vous devrez ils/elles devront	je devrais tu devrais il/elle/on devrait nous devrions vous devriez ils/elles devraient
dire	je dis tu dis il/elle/on dit nous disons vous dites ils/elles disent	j'ai dit tu as dit il/elle/on a dit nous avons dit vous avez dit ils/elles ont dit	je disais tu disais il/elle/on disait nous disions vous disiez ils/elles disaient	je dirai tu diras il/elle/on dira nous dirons vous direz ils/elles diront	je dirais tu dirais il/elle/on dirait nous dirions vous diriez ils/elles diraient
écrire	j'écris tu écris il/elle/on écrit nous écrivons vous écrivez ils/elles écrivent	j'ai écrit tu as écrit il/elle/on a écrit nous avons écrit vous avez écrit ils/elles ont écrit	j'écrivais tu écrivais il/elle/on écrivait nous écrivions vous écriviez ils/elles écrivaient	j'écrirai tu écriras il/elle/on écrira nous écrirons vous écrirez ils/elles écriront	j'écrirais tu écrirais il/elle/on écrirait nous écririons vous écririez ils/elles écriraient
être	je suis tu es il/elle/on est nous sommes vous êtes ils/elles sont	j'ai été tu as été il/elle/on a été nous avons été vous avez été ils/elles ont été	j'étais tu étais il/elle/on était nous étions vous étiez ils/elles étaient	je serai tu seras il/elle/on sera nous serons vous serez ils/elles seront	je serais tu serais il/elle/on serait nous serions vous seriez ils/elles seraient

Infinitive	Present	Perfect	Imperfect	Future	Conditional
faire	je fais tu fais il/elle/on fait nous faisons vous faites ils/elles font	j'ai fait tu as fait il/elle/on a fait nous avons fait vous avez fait ils/elles ont fait	je faisais tu faisais il/elle/on faisait nous faisions vous faisiez ils/elles faisaient	je ferai tu feras il/elle/on fera nous ferons vous ferez ils/elles feront	je ferais tu ferais il/elle/on ferait nous ferions vous feriez ils/elles feraient
falloir	il faut	il a fallu	il fallait	il faudra	il faudrait
lire	je lis tu lis il/elle/on lit nous lisons vous lisez ils/elles lisent	j'ai lu tu as lu il/elle/on a lu nous avons lu vous avez lu ils/elles ont lu	je lisais tu lisais il/elle/on lisait nous lisions vous lisiez ils/elles lisaient	je lirai tu liras il/elle/on lira nous lirons vous lirez ils/elles liront	je lirais tu lirais il/elle/on lirait nous lirions vous liriez ils/elles liraient
mettre	je mets tu mets il/elle/on met nous mettons vous mettez ils/elles mettent	j'ai mis tu as mis il/elle/on a mis nous avons mis vous avez mis ils/elles ont mis	je mettais tu mettais il/elle/on mettait nous mettions vous mettiez ils/elles mettaient	je mettrai tu mettras il/elle/on mettra nous mettrons vous mettrez ils/elles mettront	je mettrais tu mettrais il/elle/on mettrait nous mettrions vous mettriez ils/elles mettraient
partir	je pars tu pars il/elle/on part nous partons vous partez ils/elles partent	je suis parti(e) tu es parti(e) il/elle/on est parti(e) nous sommes parti(e)s vous êtes parti(e)(s) ils/elles sont parti(e)s	je partais tu partais il/elle/on partait nous partions vous partiez ils/elles partaient	je partirai tu partiras il/elle/on partira nous partirons vous partirez ils partiront	je partirais tu partirais il/elle/on partirait nous partirions vous partiriez ils partiraient
pouvoir	je peux tu peux il/elle/on peut nous pouvons vous pouvez ils/elles peuvent	j'ai pu tu as pu il/elle/on a pu nous avons pu vous avez pu ils/elles ont pu	je pouvais tu pouvais il/elle/on pouvait nous pouvions vous pouviez ils/elles pouvaient	je pourrai tu pourras il/elle/on pourra nous pourrons vous pourrez ils/elles pourront	je pourrais tu pourrais il/elle/on pourrait nous pourrions vous pourriez ils/elles pourraient
prendre	je prends tu prends il/elle/on prend nous prenons vous prenez ils/elles prennent	j'ai pris tu as pris il/elle/on a pris nous avons pris vous avez pris ils/elles ont pris	je prenais tu prenais il/elle/on prenait nous prenions vous preniez ils/elles prenaient	je prendrai tu prendras il/elle/on prendra nous prendrons vous prendrez ils/elles prendront	je prendrais tu prendrais il/elle/on prendrait nous prendrions vous prendriez ils/elles prendraient
savoir	je sais tu sais il/elle/on sait nous savons vous savez ils/elles savent	j'ai su tu as su il/elle/on a su nous avons su vous avez su ils/elles ont su	je savais tu savais il/elle/on savait nous savions vous saviez ils/elles savaient	je saurai tu sauras il/elle/on saura nous saurons vous saurez ils/elles sauront	je saurais tu saurais il/elle/on saurait nous saurions vous sauriez ils/elles sauraient

Infinitive	Present	Perfect	Imperfect	Future	Conditional
sortir	je sors tu sors il/elle/on sort nous sortons vous sortez ils/elles sortent	je suis sorti(e) tu es sorti(e) il/elle/on est sorti(e) nous sommes sorti(e)s vous êtes sorti(e)(s) ils/elles sont sorti(e)s	je sortais tu sortais il/elle/on sortait nous sortions vous sortiez ils/elles sortaient	je sortirai tu sortiras il/elle/on sortira nous sortirons vous sortirez ils/elles sortiront	je sortirais tu sortirais il/elle/on sortirait nous sortirions vous sortiriez ils/elles sortiraient
venir	je viens tu viens il/elle/on vient nous venons vous venez ils/elles viennent	je suis venu(e) tu es venu(e) il/elle/on est venu(e) nous sommes venu(e)s vous êtes venu(e)(s) ils/elles sont venu(e)s	je venais tu venais il/elle/on venait nous venions vous veniez ils/elles venaient	je viendrai tu viendras il/elle/on viendra nous viendrons vous viendrez ils/elles viendront	je viendrais tu viendrais il/elle/on viendrait nous viendrions vous viendriez ils/elles viendraient
voir	je vois tu vois il/elle/on voit nous voyons vous voyez ils/elles voient	j'ai vu tu as vu il/elle/on a vu nous avons vu vous avez vu ils/elles ont vu	je voyais tu voyais il/elle/on voyait nous voyions vous voyiez ils/elles voyaient	je verrai tu verras il/elle/on verra nous verrons vous verrez ils/elles verront	je verrais tu verrais il/elle/on verrait nous verrions vous verriez ils/elles verraient
vouloir	je veux tu veux il/elle/on veut nous voulons vous voulez ils/elles veulent	j'ai voulu tu as voulu il/elle/on a voulu nous avons voulu vous avez voulu ils/elles ont voulu	je voulais tu voulais il/elle/on voulait nous voulions vous vouliez ils/elles voulaient	je voudrai tu voudras il/elle/on voudra nous voudrons vous voudrez ils/elles voudront	je voudrais tu voudrais il/elle/on voudrait nous voudrions vous voudriez ils/elles voudraient

abolir	to abolish
d'abord	first of all
absolument	absolutely
l'acacia (*m*)	acacia
accepter	to accept
l'accès (*m*)	access;
la bretelle d'accès	slip-road
l'accident (*m*)	accident
accompagner	to accompany
l'accord (*m*)	agreement;
d'accord	OK, agreed;
tout à fait d'accord	completely in agreement
l'accueil (*m*)	welcome, reception, accommodation
accueillant	welcoming
accueillir	to welcome, receive into one's home
acheter	to buy
l'acide (*m*)	acid;
les acides gras	fatty acids
acquis (from **acquérir**)	acquired
acrobatique	acrobatic
l'action (*f*)	action, intitiative
actif/active	active
l'activité (*f*)	activity
actuel/actuelle	current, (today's ...)
actuellement	currently
adéquat/adéquate	adequate
adieu	farewell
administratif/ administrative	administrative
l'administration (*f*)	administration
l'adolescent (*m*)	adolescent
adopter	to adopt, take up
adorable	adorable
adorer	to adore
l'adresse (*f*)	address
adresser	to address (send)
s'adresser à	to speak to, apply to
l'adulte (*m*)	adult
l'aérobic (*m*)	aerobics
l'aéroport (*m*)	airport
l'affaire (*f*)	affair, business; things, 'stuff'
les affaires (*fpl*)	business;
un voyage d'affaires	a business trip
affecter	to affect
l'affluence (*f*)	affluence, wealth;
les heures d'affluence	rush hour
afin de	in order to
l'âge (*m*)	age
âgé(e)	aged
l'agence (*f*)	agency,
l'agence immobilière	estate agent's
l'agent (*m*)	agent;
l'agent immobilier	estate agent
agit: il s'agit de	it's a matter of, it's about
agréable	pleasant
agréer	to accept;
veuillez agréer l'expression de mes salutations les plus respectueuses	yours sincerely (*lit.* please accept the expression of my most respectful greetings)
aider	to help
l'aile (*f*)	wing
ailleurs	elsewhere;
d'ailleurs	besides, furthermore
aimer	to like, love
aîné(e)	older, elder,
sœur aînée	older sister;
je suis son aîné de deux ans	I'm two years older than him/her
ainsi	so, thus, in this way;
ainsi que	as well as
l'aire (*f*)	area, zone;
aire de loisirs	leisure zone
l'aise (*f*)	ease;
à l'aise	at ease, comfortable, relaxed
Ajaccio	Ajaccio, capital of the island of Corsica
l'alcool (*m*)	alcohol;
l'alcool au volant	drink-driving (*lit.* alcohol at the steering-wheel)
l'alcootest (*m*)	breathalyser
les alentours (*mpl*)	surroundings
l'alerte (*f*)	alert
l'alimentation (*f*)	food
les aliments (*mpl*)	food, foodstuffs
aller	to go
allô	hello (on the phone)
allonger	to extend, stretch out
alors	then, so
les Alpes (*fpl*)	the Alps
alpin/alpine	Alpine
l'alpinisme (*m*)	mountaineering, climbing
l'amateur (*m*) de	amateur, lover of
l'ambiance (*f*)	atmosphere
l'ami/l'amie	friend
amicalement	in a friendly way; best wishes

Amitiés (*fpl*) (in a letter)	All the very best
l'amour (*m*)	love
amoureux/amoureuse	in love
amusant	funny, amusing
l'amuse-gueule (*m*)	'nibble', appetizer, snack
amuser	to amuse;
s'amuser	to have fun
analyser	to analyse
l'ancêtre (*m*)	ancestor
l'anecdote (*f*)	anecdote
anglais/anglaise	English
l'Angleterre (*f*)	England
anglophone	anglophone, English-speaking
l'animateur (*m*)/ l'animatrice (*f*)	organiser, coordinator, leader
les animations (*fpl*)	organised activities
l'animal (*m*) (les animaux *pl*)	animal
animé(e)	organised, coordinated, animated, exciting
l'année (*f*)	year
l'anniversaire (*m*)	birthday
l'annonce (*f*)	advertisement;
petite annonce	small ad
l'annuaire (*m*)	telephone directory
annuler	to cancel
l'an (*m*)	year;
j'ai dix-neuf ans	I'm nineteen years old
août	August
l'apéritif (*m*)	aperitif, aperitive (drink that stimulates the appetite)
l'appareil (*m*)	appliance;
l'appareil photo	camera;
l'appareil électroménager	household appliance;
à l'appareil	speaking (on the phone),
Gérard à l'appareil	Gérard speaking
l'appartement (*m*)	flat
apparu (from **apparaître**)	appeared, first appearing ...
l'appel (*m*)	(telephone) call
appeler	to call, to telephone;
s'appeler	to be called
l'apport (*m*)	content, supply
apporter	to bring
apprécier	to appreciate
apprendre	to learn
approcher	to approach;
s'approcher de	to get near/nearer
après	after
l'après-midi (*m* or *f*)	afternoon
l'aptitude (*f*)	aptitude, ability
aquatique	aquatic;
sports aquatiques	water sports
l'Ardèche	the Ardèche (department in S.E. France)
l'argent (*m*)	money
arracher	to tear off
l'arrêt (*m*)	stop;
arrêt d'autobus	bus-stop
arrêter	to stop
l'arrière (*m*)	back, rear;
en arrière	behind, backwards
arriver	to arrive
l'art (*m*)	art
l'artifice (*m*)	artifice, trick;
les feux d'artifice	fireworks
l'ascenseur (*m*)	lift
l'assassin (*m*)	murderer
assez	enough
assis/assise	seated
l'assistance (*f*)	assistance, help
l'assistant (*m*)/ l'assistante (*f*)	assistant
assister	to attend
l'association (*f*)	club, association, organisation
l'Assomption (*f*)	Assumption (public holiday on 15 August)
assurer	to assure, ensure
Athènes	Athens
l'atout (*m*)	asset, trump card
attacher	to attach, tie together
l'attaque (*f*)	attack
atteint (from **atteindre**)	attained/reached
attendre	to wait
l'attente (*f*)	wait, expectation;
dans l'attente de vous lire	(letter) looking forward to hearing from you
l'attention (*f*)	attention;
attention!	watch out!;
faire attention	to watch out;
attirer/retenir votre attention	to attract/hold your interest/ attention
attirer	to attract
les attractions (*fpl*)	attractions
attribuez	match/give
au/à la/à l'/aux	to the
aucun: ne ... aucun	no/not a single
augmenter	to increase
aujourd'hui	today
auprès de	with, to, next to
aura (future of **avoir**)	she/he will have
aussi	also, too
autant (de)	as much, as many
l'autobus (*m*)	bus
l'autocar (*m*)	coach
l'autodiscipline (*f*)	self-discipline
automatique	automatic
l'automne (*m*)	Autumn

automobile motor, car;
la circulation automobile car traffic
autonome independent
l'autoroute (*f*) motorway
autour (de) around
autre other
l'Auvergne (*f*) the Auvergne (region in central France)
l'avalanche (*f*) avalanche
avaler to swallow
avancé advanced;
niveau avancé advanced level
l'avancée (*f*) advance
avant before
l'avantage (*m*) advantage
avec with
l'avenir (*m*) future
l'aventure (*f*) adventure
aventurier adventurous
l'aventurier (*m*) adventurer
l'avenue (*f*) avenue
Avignon Avignon (town in Provence, in S.E. France)
l'avion (*m*) plane
l'avis (*m*) opinion, advice;
à mon avis to my mind, in my opinion
avoir to have
avril April

le bac = le baccalauréat (French equivalent of A levels)
les bagages (*mpl*) luggage
la bagnole car, 'old banger'
la baguette 'baguette', French stick loaf
la baignade swimming spot, bathing
baigner to bathe
la baignoire bathtub
le bain bath;
la salle de bains bathroom
le bal ball, dance
le baladeur walkman
le balcon balcony
balnéaire bathing;
la station balnéaire seaside resort
le baoum boom/whoomph
le baptême baptism;
baptême de l'air maiden flight
le bar bar
le barbecue barbecue
la barque (small) boat
le barrage dam
barré(e) (from **barrer**) blocked, barred
bas/basse low;
du haut en bas from top to bottom;
là-bas over there

la base base, basis;
la base de loisirs leisure centre;
les compétences de base basic knowledge
le bassin basin;
le bassin de la Loire the Loire basin
le bateau boat
battu (from **battre**) beaten;
hors des pistes battues off the beaten track
beau(x)/belle(s) beautiful
beaucoup (de) a lot (of)
le bébé baby
bel form of **beau** used before a vowel;
un bel appartement a beautiful flat
belge Belgian
la Belgique Belgium
ben well
bénéficiant de enjoying (all) the advantages of
le besoin need;
avoir besoin de to need
le béton concrete
le beurre butter
le/la bibliothécaire librairian
la bibliothèque library
bien well, good;
très bien very good, OK;
bien entendu/bien sûr of course
bientôt soon;
à bientôt see you soon
la bière beer
bilingue bilingual
le billet ticket
la biographie biography
la biotechnologie biotechnology
biplace two-seater
bis (in address) 3 bis = English 3a
les bisous (*m*) kisses;
gros bisous (letter, telephone) big kisses
le bistro bistro, café
bizarre strange, peculiar, funny
blanc/blanche white
blessé/blessée wounded, injured, hurt;
un blessé injured person
bleu/bleue blue
blond/blonde blonde
le Boeing Boeing
boire to drink
la boisson drink
la boîte tin, box
bon/bonne good; right; correct.
bon, d'accord right, OK;
bon ben well then;
dans le bon ordre in the correct order;
dans la bonne case in the right box

bondé(e)	full-up, crowded
bonjour	good morning, good afternoon
le bord	edge, board;
au bord de la rivière	on the river bank;
à bord	on board, aboard;
au bord de la mer	at the seaside
Bordeaux	Bordeaux (town on the S.W. coast of France)
la bouche	mouth
le bouchon	cork, plug; traffic jam;
un tire-bouchon	corkscrew
la boucle	loop, buckle;
une boucle d'oreille	earring
bouclé(e)	curly;
les cheveux bouclés	curly hair
bouger	to move, go somewhere
la boulangerie	baker's
la boule	ball;
une boule de neige	snowball
le boulevard	boulevard
le boum	party
le bout	end, tip;
le bout des doigts	fingertips
la bouteille	bottle
la boutique	shop
le branchement	connection (electrical)
bref	briefly, to cut a long story short, in short
Bretagne	Brittany (region in the north of France)
la bretelle d'accès	slip-road
le brevet (des collèges)	diploma – French equivalent of GCSE
britannique	British
la brochure	brochure
bronzé(e)	sun-tanned
brosser	to brush;
se brosser les dents/cheveux	to brush one's teeth/hair
Bruges	Bruges (town in Belgium)
le bruit	noise, sound
brun(e)	brown;
le brun	brunette
brut	gross (salary/pay)
bruyant(e)	noisy
le bureau	office
le bus	bus
ça	it, that
la cachette	hiding-place;
en cachette	in secret
le cadeau	present;
un cadeau d'anniversaire	birthday present
Caen	Caen (city in N.W. France)
Caen-Ouistreham	(port for Caen)
le cafard	cockroach
le café	café, coffee
Cahors	Cahors, town in the Lot department, S.W. France
le caissier/la caissière	cashier, till/checkout-operator
le calcul	calculations, sums;
j'ai fait quelques calculs	I've done some calculations
calme	quiet, calm
calorique	rich in calories
le camp	camp
la campagne	country, campaign;
à la campagne	in/to the countryside
le camping	campsite, camping;
faire du camping	to go camping
le camping-caravaning	camping and caravan site
le campus	campus
le canapé	sofa
le candidat/la candidate	candidate, applicant
la candidature	application;
poser sa candidature pour un poste	to apply for a job;
un formulaire de candidature	an application form;
la date-limite des candidatures	the deadline for applications;
un dossier de candidature	an application dossier/file
Canet-plage	Canet-plage (town in S.W. France, Mediterranean coast)
Cannes	Cannes (town in S.E. France, Mediterranean coast)
le canoë	canoe
le canyon	canyon
le canyoning	white-water rafting
la capitale	capital
car	because
le car	coach
le car-ferry	ferry
la caractéristique	characteristic
la caravane	caravan
carré(e)	square;
mètres carrés	square metres
la carrière	career
le cas	case;
le cas où	just in case;
au cas où	if
la case	box
casser	to break
la cassette	cassette
Castellane	Castellane (town in S.E. France, near the Gorges du Verdon)
le catamaran	catamaran
la cause	cause, reason
ce/cette/cet/ces	this, that

cela	this, that, these
célèbre	famous
celle-ci	this one (here) (*f*)
celles-ci	these ones (here) (*f*)
celui/celle/ceux/celles	this one/these ones
celui-ci	this one (here) (*m*)
central(e)	central
le centre	centre
le centre-ville	town centre
le cercle	circle
les ceréales (*fpl*)	cereal
certain(e)	certain, some
certainement	certainly
cesser	to cease, stop;
sans cesse	constantly, without ceasing
ceux-ci	these ones (here) (*m*)
ceux-là	those ones (there) (*m*)
chacun/chacune	each
la chaîne	chain (bracelet)
la chambre	(bed)room
Chamonix	Chamonix (ski-resort in the French Alps)
le champagne	champagne
Champollion	(Frenchman who deciphered Egyptian hieroglyphics)
le champ	field
Chamrousse	Chamrousse (town, Isère department)
la chance	luck, chance, opportunity
changer	to change
chanter	to sing
le chantier	building site
chaque	each, every
chargé(e) de	responsible for, in charge of
les charges	costs, expenses, charges
le chargeur	loader;
le chargeur de rayons	person who stacks shelves
chasser	to chase
le chat	cat
le château	castle, château
chaud(e)	hot, warm
le chauffage	heating
la chaussée	road;
au rez-de-chaussée	on the ground floor
la chaussette	sock
la chaussure	shoe
chauve	bald
le chef	head, chief, boss
le chemisier	blouse
cher/chère	dear, expensive
chercher	to look for, search
le cheval/les chevaux (*pl*)	horse
les cheveux (*mpl*)	hair
chez	at the house of
le chien	dog
les chips (*mpl*)	crisps
le chocolat	chocolate
chocomaniaque	chocoholic
la chocomanie	chocoholism
choisir	to choose
le choix-multiple	multiple choice
la chose	thing;
quelque chose	something;
autre chose	something else
chuchoter	to whisper
la chute	fall;
la chute de neige	snowfall
ci-contre	opposite
ci-dessous	below
ci-dessus	above
ci-joint	enclosed, attached
le cinéma	cinema
cinq	five
cinquante-cinq	fifty-five
cinquième	fifth
le circuit	circuit;
circuit pédestre	walking circuit
la circulation	traffic
le citron	lemon
la civilisation	civilisation, culture
clair/claire	light
la clarté	clarity, clearness
la classe	class
classé(e)	listed, classified
classique	classic
la clé	key
Clermont-Ferrand	Clermont-Ferrand (town in central France)
le client	customer, client
la clientèle	customers, clientele
le climat	climate
le clochard	tramp
le club	club
cocher	to tick
le cocktail	cocktail
le cocon	cocoon
le cœur	heart
cogner	to thud
le coin	corner
le coin-cuisine	kitchenette
le col	col, mountain pass
collectif/collective	group;
les sports collectifs	team sports
la collection	collection
le/la collègue	colleague
la colonie	camp;
colonie de vacances	holiday camp (for children)
combien	how much, how many
commander	to order

comme	like, as, by way of;
que faites-vous comme études?	what sort of studies are you doing?
commencer	to start
comment	how, what, what … like
le commerce	business
commercial	commercial, business;
les études commerciales	business studies
commettre	to commit;
commettre un délit	to commit a crime
commun	common;
avoir des choses en commun	to have things in common
les communications (*fpl*)	communications
le compact disque	compact disc
se compacter	to become compacted
la compagnie	firm, company
le compagnon	friend, companion
la comparaison	comparison;
faire la comparaison	to compare
la compétence	skill, competence, ability
complet/complète	full, substantial
complètement	completely
le/la complice	accessory, accomplice
composer	to dial
la compréhension	understanding;
Je vous remercie de votre compréhension	Thank you for being so understanding
comprendre	to understand
compris/comprise	included; understood (pp. of **comprendre**)
compter	to count, rely, intend
concentrer	to concentrate
concernant	concerning
concerner	to concern
le concert	concert
le concierge	caretaker, janitor
condamner	to sentence, condemn
conduire	to drive
confirmer	to confirm
le confluent	confluence
le confort	comfort
confortable	comfortable
conjuguer	to conjugate
la connaissance	knowledge, acquaintance;
j'ai de bonnes connaissances en …	I have a good knowledge of …;
heureux de faire votre connaissance	pleased to meet you;
selon mes connaissances	as far as I know
connaisseur	expert, connoisseur, knowledgeable
connaître	to know, be acquainted with
le conseil	advice, 'tip'; consultant
conseiller	to advise
le conseiller/la conseillère	counsellor
la conséquence	consequence
la conservation	conservation
conserver	to conserve, preserve
considérer	to consider
le consommateur	consumer
consommer	to consume, eat
constamment	constantly
contacter	to contact
contenant	containing
content/contente	happy
le continent	continent;
le sixième continent	the underwater world
continuer	to continue
contrairement à	contrary to
le contrat	contract
contre	against;
par contre	on the other hand
contribuer	to contribute
le contrôle	check, test, inspection
le contrôleur	ticket inspector
la conversation	conversation
convient (from **convenir**)	
ça te convient?	does that suit you?
la coordinatrice	(female) coordinator
les coordonnées (*fpl*)	address and telephone number
le copain/la copine	friend, 'mate'
le corbeil	waste-paper basket
les Cornouailles (*fpl*)	Cornwall
le corps	body
correct(e)	reasonable, decent
correspondre	to correspond, fit; write
corse	Corsican
à côté de	beside
se coucher	to go to bed
la couleur	colour
le coup	blow;
un coup de fil	a telephone call
le couple	couple
le courage	courage, bravery;
bon courage!	good luck!
courant (from **courir**)	running;
monter l'escalier en courant	to run up the stairs
le courrier	post;
le courrier du cœur	problem page
courir	to run
le cours	lesson, class;
au cours de	in the course of
court	short
le court(e)	court (tennis)
couru	ran (pp. of **courir**)
le cousin/la cousine	cousin
coûter	to cost

coûteux/coûteuse	costly, expensive
couvert(e)	indoor;
2 courts couverts	2 indoor courts
craquer	to crack
créer	to create
la crémaillère	chimney hook;
pendre la crémaillère	to have a house-warming party (lit. to hang the chimney hook)
le cri	shout, cry
crier	to shout
critiquer	to criticise
croire	to think, believe
la croisière	cruise
cru(e)	raw, uncooked; believed, thought (pp. of **croire**)
la cueillette	picking, harvesting
cueillir	to pick, harvest
la cuisine	kitchen, cooking
cultiver	to grow
la curiosité	curiosity, object of cultural interest
le cursus	programme (of studies)
la dame	lady
le danger	danger
dans	in
danser	to dance
la date	date
la date limite	deadline
de	of, some
debout	standing, upright
le début	start;
début juillet	at the beginning of July
le débutant	beginner
décembre	December
décider	to decide
la décision	decision
déclarer	to state
décliner	to refuse
le décollage	takeoff (plane)
décourager	to discourage
la découverte	discovery
découvrir	to discover
le décret	decree
décrire	to describe
déçu/déçue	disappointed
le défaut	fault
défendre	to defend
le défenseur	defender
la dégustation de vin	wine-tasting
déjà	already
déjeuner	to have lunch
le déjeuner	lunch
delà/au-delà de	beyond
le délai	lapse of time, deadline
le délit	crime
le delta-plane	hang-gliding, hang-glider
demain	tomorrow
demander	to ask
le déménagement	house removal
déménager	to move house
demi/demie	half
la dent	tooth
le dépannage	repairs
le départ	departure
le département	French administrative department (cf. English county)
se dépêcher	to hurry
déposer	to put down
depuis	since, for
déranger	to disturb
dernier/dernière	last
se dérouler	to take place
le désastre	disaster
descendre	to go down
la descente	descent
la description	description
désespéré(e)	desperate, in despair
désespérer	to despair;
se désespérer	to get desperate
la désignation	appointment
désirer	to desire
désolé(e)	sorry
désormais	from now on, henceforth
le dessert	dessert, pudding
dessous/au-dessous de	below, under;
ci-dessous	below
la destination	destination
la destruction	destruction
le détail	detail
déterminé(e)	détermined
détester	to hate
deux	two
deuxième	second
devant	in front of, outside
le développement	development
devenir	to become
devoir	to have to, must
les devoirs (*mpl*)	homework
dévoué(e)	devoted
le diamant	diamond
différent(e)	different
difficile	difficult
dimanche	Sunday
la dimension	dimension
dîner	to dine
le diplôme	diploma, qualification
diplômé(e)	qualified
dire	to say, tell

direct(e)	direct
directement	directly, immediately
le directeur	head, director
le dirigeant	leader, manager, director
la discothèque	discothèque
la discussion	discussion
la disponibilité	availability
disponible	available
la disposition	disposal
se disputer	to quarrel
le disque	record, disc
la distance	distance;
à … kms de distance	… kms away
distingué	distinguished;
mes sentiments distingués	(letter) yours sincerely
se distraire	to distract, amuse oneself
le distributeur	distributor
la distribution	distribution
dit-on: comment dit-on … en français?	how do you say … in French?
dix	ten
dix-neuf	nineteen
la dizaine	about ten
le document	document
le doigt	finger
le domaine	domain, field
le dommage	shame;
Quel dommage!	What a shame!
donc	so, therefore, then
donner	to give
dormir	to sleep
le dortoir	dormitory
le dossier	dossier, file
la douche	shower
douze	twelve
le droit	right;
tout droit	straight on
droite	right;
à droite	to the right
drôle	funny, strange
du/de la/de l'/des	some, of the
le duc	duke
le duplex	flat on two open-plan levels
dur(e)	hard, difficult
durant	during
la durée	length, duration
dynamique	dynamic
l'eau (*f*)	water
échouer	to fail
l'école (*f*)	school
écologique	ecological
l'économie (*f*)	economy, saving
faire des économies	to save up
économiser	to save
l'Ecosse (*f*)	Scotland
écouter	to listen
s'écraser	to crash
écrire	to write
s'écrouler	to collapse, crumble, founder
l'éducation (*f*)	education, upbringing
effectuer	to make, carry out
l'effort (*m*)	effort
également	also, equally
s'égarer	to lose your way
égyptien/égyptienne	Egyptian
s'élancer	to throw yourself, to take off
élargir	to widen, broaden
élastique	elastic;
un saut à l'élastique	bungee jump
électrique	electric
électroménager:	
appareil électroménager	item of electrical household equipment
élégamment	elegantly
élevé(e)	high
s'emballer	to race
embaucher	to take someone on, employ
l'embouteillage (*m*)	traffic jam
embrasser	to kiss;
je t'embrasse	kisses, hugs (letter);
embrasse … de ma part	give … a hug from me
emmener	to take
empêcher	to prevent
l'emplacement (*m*)	pitch (at camp-site)
l'emploi (*m*)	job;
l'emploi du temps	timetable
l'employé(e)	employee, worker
emprisonner	to imprison
encadrer	to oversee
encore	still
s'endormir	to fall asleep
l'endroit (*m*)	place
l'énergie (*f*)	energy
énergique	energetic
énergiquement	energetically
l'enfant (*m*) or (*f*)	child
enfin	well, in short, finally, sort of
s'enfouir	to be buried
s'engager à	to be committed to
enneigé(e)	snowy, snow-covered
ennuyer	to bore
s'ennuyer	to get bored
énorme	enormous
énormément	enormously, greatly;
énormément de	lots of
l'enquête (*f*)	inquiry
l'enregistrement (*m*)	recording
enregistrer	to make a note of, to record, to log
l'enseignant(e)	teacher

l'enseignement	education, teaching;
enseignement supérieur	Higher Education
ensemble	together
entendre	to hear
s'entendre avec	to get on with
enthousiaste	enthusiastic
entière/la classe entière	whole class
entre	between
l'entrée (*f*)	entrance-hall
entreprenant	enterprising
l'entreprise (*f*)	firm, business, enterprise
entrer	to go in
entretemps	in the meantime
l'entretien (*m*)	interview;
entretien d'embauche	job interview
envelopper	to wrap up, envelop
l'envie (*f*)	desire, wish;
avoir envie de	to want to
environ	about, approximately
environnant	surrounding
l'environnement (*m*)	environment
envisager	to envisage, plan
envoyer	to send
l'équilibre (*m*)	balance
équilibrer	to balance
l'équipage	crew
l'équipe (*f*)	team;
au sein d'une équipe	as part of a team
l'équipement (*m*)	equipment
équiper	to equip
l'équitation (*f*)	horse-riding
équivalent(e)	equivalent
l'erreur (*f*)	mistake
l'escalade (*f*)	rock-climbing
l'escalier (*m*)	stairs
l'escargot (*m*)	snail
espacer	to space out
l'Espagne (*f*)	Spain
espérer	to hope, expect
l'espoir (*m*)	hope;
avoir bon espoir de	to have high hopes of
l'esprit (*m*)	mind, spirit;
curiosité d'esprit	spirit of enquiry
essayer	to try
l'essentiel (*m*)	the main point(s)
essentiel/essentielle	essential
l'estuaire (*m*)	estuary
et	and
l'étage (*m*)	floor;
au premier/deuxième étage	on the first/second floor
l'étagère (*f*)	shelf;
des étagères	shelves, shelf unit
l'étape (*f*)	stop, stopping place;
gîte d'étape	overnight shelter
les Etats-Unis (*mpl*)	United States
l'étiquetage (*m*)	ticketing
étiqueter	to label
l'étranger (*m*)	foreigner, outsider;
à l'étranger	abroad
être	to be
l'étude (*f*)	study
l'étudiant/étudiante	student
étudier	to study
européen/européenne	European
évacuer	to evacuate
s'evader	to get away from it all
s'évanouir	to vanish
l'événement (*m*)	event
éventuel/éventuelle	possible;
éventuellement	possibly
l'évolution (*f*)	development
exactement	exactly
exagérer	to exaggerate, go too far
l'examen (*m*)	exam
excellent(e)	excellent
exceptionnel/ exceptionnelle	exceptional
excité(e)	excited
s'excuser	to say sorry, apologise
l'exemple (*m*)	example
l'exercice (*m*)	exercise
exiger	to demand
exister	to exist
l'expérience (*f*)	experience, experiment
l'expertise (*f*)	expertise
expliquer	to explain
l'exploitation (*f*)	exploitation
l'expression (*f*)	expression
exprimer	to express
l'extrait (*m*)	extract
extérieur(e)	outdoor
extra-professionnel	outside work, leisure time
extrême	extreme;
les sports extrêmes	extreme (high-risk) sports
le fabricant	manufacturer
fabriquer	to manufacture
la Fac	the Uni (university)
en face de	opposite
facile	easy
facilement	easily
la façon	way, fashion, manner;
de la façon suivante	in the following way;
de toute façon	anyway, in any case
faire	to make, do
la falaise	cliff
falloir	to be necessary, have to
familial(e)	family
se familiariser	to familiarise yourself
la famille	family
fantastique	fantastic
le farniente	lazing about

fatigué(e)	tired
faut (from **falloir**): il faut	you have to, it's necessary to
le fauteuil	armchair
faux/fausse	false, wrong
favorable	favourable
favoriser	to favour
le fax	fax
faxer	to fax
la femme	woman, wife
la fenêtre	window
férié: un jour férié	public holiday
fermer	to shut, close
féroce	fierce
le festival	festival
la fête	fête, public holiday
fêter	to celebrate
les feux (*mpl*) d'artifice	fire-works
février	February
les fiançailles (*fpl*)	engagement
fidèle	faithful
Figeac	Figeac (town in the Lot departement, S.W. France)
figure-toi!/figurez-vous!	imagine!
le fil	wire;
un coup de fil	a telephone call
la fille	girl, daughter
le film	film
le fils	son
la fin	end
fin(e)	fine
finalement	finally, in the end
la finance	finance
financier/financière	financial
finir	to finish
finlandais/finlandaise	Finnish
fixer	to fix, settle, arrange, agree;
les délais fixés	agreed deadlines
fixe	fixed
la fleur	flower
le fleuve	river
la fois	time;
une fois par semaine	once a week;
deux fois par mois	twice a month
le fond	bottom
le foot	football
le football	football
forcément	necessarily, obviously
la formation	training
la forme	form;
en forme	fit, on form, in good shape
formidable	great, fantastic
le formulaire	form;
formulaire de demande d'emploi	job application form
la formule	formula
fort/forte	strong, very
fou/folle	mad
le four	oven;
le four micro-ondes	microwave oven
fournir	to provide, furnish
frais/fraîche	cool;
boissons fraîches	cool drinks
la fraise	strawberry
français/française	French
la France	France
frapper	to knock
fréquemment	frequently
le frère	brother
les frites (*fpl*)	chips;
moules-frites	mussels and chips;
steak-frites	steak and chips
froid(e)	cold;
faire froid	to be cold (weather)
le fromage	cheese
la fuite	flight;
en fuite	in flight, running away
fumer	to smoke
gâcher	to spoil
gagner	to win, earn;
gagner sa vie	to earn one's living
Galles/le pays de Galles	Wales
gallois/galloise	Welsh
le gangster	gangster
le garage	garage
le garçon	boy, waiter
garder	to keep;
garder la forme	to keep fit
la gare	station
garer	to park
la Garonne	the Garonne river in S.W. France
le gâteau	cake;
le petit gâteau	biscuit
gauche	left
général	general
généralement	generally
génétique	genetic
génétiquement	genetically
le genre	type
les gens (*mpl*)	people
gentil/gentille	nice, kind
la géographie	geography
gérer	to manage, administer
la gestion	management
le gilet	cardigan
la Gironde	the Gironde river, which flows into the sea at Bordeaux
le gîte	holiday home, shelter
la glace	ice cream

la gorge	gorge
le goût	taste
grâce à	thanks to
graduel/graduelle	gradual
les graisses (*fpl*)	fats
la grammaire	grammar
grand(e)	big, large
la Grande-Bretagne	Great Britain
le grand-papa	grandad
les grands-parents	grand-parents
gras/grasse	fat
gratuit(e)	free
grec/grecque	Greek
la Grèce	Greece
la grille	grid
le grimpeur	climber
gris(e)	grey
gros/grosse	large, big, fat
la grotte	grotto
le groupe	group
le guide	guide
la guitare	guitar
la gymnastique	gymnastics
habiller	to dress
s'habiller	to get dressed
habiter	to live
l'habitude (*f*)	the habit;
avoir l'habitude de	to be used to;
d'habitude	usually
le hasard	chance;
par hasard	by (any) chance
haut	high;
du haut en bas	from top to bottom
l'hébergement (*m*)	accommodation
hein?	OK?/you see/you know/isn't it?/don't you think?
l'héroïne	heroine; heroin
l'heure (*f*)	time; o'clock; hour
à quelle heure?	at what time?
vers dix heures	about ten o'clock;
Quelle heure est-il?	What time is it?
heureux/heureuse	happy
heureusement	fortunately, happily
hier	yesterday
l'hiéroglyphe (*m*)	hieroglyphic
l'histoire (*f*)	story, history
historique	historical
l'hiver (*m*)	Winter
l'homme (*m*)	man
honnête	honest
l'hôpital (*m*)	hospital
horaire	hourly, per hour
l'horaire (*m*)	timetable

hors: hors de question!	out of the question;
hors d'œuvre	starter (on a menu)
l'hôtel (*m*)	hotel
huit	eight
l'hydrospeed (*m*)	hydrospeed
ici	here;
ici Jean-Claude	Jean-Claude speaking (phone)
idéal(e)	ideal
idéalement	ideally
l'idée (*f*)	idea
identifier	to identify
l'île (*f*)	island
l'image (*f*)	picture, image;
à l'image de	just like
imaginer	to imagine
l'imbécile (*m*)	imbecile, fool
immédiatement	immediately
l'immeuble (*m*)	block of flats
immobilier: l'agent immobilier	estate agent
immobilière: l'agence immobilière	estate agency
immobiliser	to immobilise
l'impatience (*f*)	impatience
impérativement: devoir impérativement observer	to be absolutely essential to stick to ...;
connaître impérativement	to be absolutely essential to know about ...
impliquer	to involve
important(e)	important, large
n'importe qui	anyone at all;
qu'importe!	so what!
s'imposer	to establish itself
impossible	impossible
l'impression (*f*)	impression
impressionné(e)	impressed
l'incendie (*m*)	fire
l'incidence (*f*)	effect, impact
avoir une incidence sur	to have an effect on
l'incident (*m*)	incident, accident
inclure	to include
incroyable	incredible, unbelievable
inculper	to charge
indéfiniment	indefinitely
indépendant(e)	independent
indiquer	to indicate, point out
indispensable	indispensable, essential
l'individu (*m*)	individual
industriel/industrielle	industrial
l'infirmière (*f*)	nurse
les informations (*fpl*)	information; news
informatique (*adj*)	computer (*adj*);
outils informatiques	computer software;
ingénieur informatique	computer engineer
informer	to inform

l'ingénieur (*m*) — engineer;
 l'ingénieur de vente — sales engineer
l'initiation (*f*) — introduction
l'inscription (*f*) — registration
l'insecticide (*m*) — insecticide
l'inspecteur (*m*) — inspector
les installations (*fpl*) — facilities
installer — to install
s'installer — to move in, settle in
l'instant (*m*) — instant, moment;
 pour l'instant — for the moment
l'instructeur (*m*) — instructor
l'instruction (*f*) — instruction
l'instrument (*m*) — instrument
insupportable — unbearable
intelligent(e) — intelligent
interdire — to forbid, prohibit
interdit(e) — forbidden, prohibited
intéressant(e) — interesting
intéresser — to interest
s'intéresser à — to be interested in
l'intérêt (*m*) — interest
intérieur(e) — indoor
interminable — interminable, never-ending
international(e) — international
l'Internet (*m*) — Internet
interroger — to question
l'intimité (*f*) — intimacy, private life
l'introduction (*f*) — introduction
l'investigation (*f*) — investigation
inviter — to invite
l'invitation (*f*) — invitation
l'invité/invitée — guest
issue de — originating from
l'Italie (*f*) — Italy
italien/italienne — Italian
l'itinéraire (*m*) — itinerary, route

jamais — never;
 ne … jamais — never
le jardin — garden
le jardinier — gardener
le jeu — game;
 les jeux d'ordinateur — computer games
jeudi — Thursday;
 à jeudi — see you on Thursday
jeune — young
la jeunesse — youth
le job — (temporary) job;
 un job d'été — summer job
le jogging — jogging
joli(e) — pretty
jouer — to play;
 jouer au tennis — to play tennis;
 jouer de la guitare — to play the guitar
le jour — day;
 tous les jours — every day
le journal — newspaper
la journée — day
juger — to judge
juillet — July
juin — June
la jupe — skirt
jusqu'à — (up) to, until
juste — just
justement — precisely;
 il allait justement … — he was just going to …
justifier de — to have experience of

le kayak — kayak canoe
le kilomètre — kilometre
le kilo — kilo
le kiosque — kiosk
la kitchenette — kitchenette

là-bas — over there
laisser — to leave
la langue — language; tongue
largement — widely
 une idée largement répandue — a widespread idea
le laser — laser
la lavande — lavender
le lave-linge — washing-machine
laver — to wash
le leader — leader
le lecteur laser — CD player
le lecteur/la lectrice — reader
la légende — legend, caption
léger/légère — light
lequel/laquelle — which one
la lessive — washing, washing powder;
 faire la lessive — to do the washing
la lettre — lettre
leur — to them
leur(s) — their
se lever — to get up
la liberté — freedom
la librairie — bookshop
libre — free
la licence — (university) degree
le lien — link, tie, connection
le lieu — place
la ligne — line
Lille — Lille (town in N. France)
la limite — limit
limousin — of/from the Limousin region
linguistique — linguistic; language
le lipide — lipid
lire — to read
la liste — list
le lit — bed

le litre	litre
le livre	book
local(e)	local
la location	rental
le locuteur	speaker
le logement	accommodation
loger	to stay, put (someone) up
loin	far
la Loire	Loire (river in central France)
le loisir	leisure
Londres	London
long/longue	long
longtemps	for a long time;
ça fait longtemps que ...	it's been a long time that/since
lors de	at the time of
le Lot	Lot (river and département in S.W. France)
louer	to hire, rent, let
le loyer	rent
lu (past participle of **lire**)	read
lui	to him/to her
la lumière	light
lundi	Monday
les lunettes (*fpl*)	spectacles, glasses
le lycéen, la lycéenne	(secondary) school pupil
ma (followed by feminine noun)	my
la machine	machine;
machine à traitement de texte	word-processor
la maçonnerie	building, bricklaying
madame	(term of address for married women or women over about 25 years old
mademoiselle	(term of address for unmarried women under about 25 years old)
le magasin	shop
le magazine	magazine
magique	magic
le magnétoscope	video recorder
magnifique	magnificent
mai	May
la main	hand;
à la main	in her/his hand
la maintenance	maintenance
maintenant	now
maintenir	to maintain
mais	but
la maison	house
la maîtrise	mastery, command
la majorité	majority
malheureusement	unfortunately
le management	management
la Manche	English Channel

manger	to eat
la manipulation	manipulation
manuel/manuelle	manual;
le travail manuel	manual work
la marche	walking
marcher	to walk
mardi	Tuesday
la margarine	margarine
le mariage	marriage
marié(e)	married
se marier à/avec	to get married to
marin/marine	marine
le marketing	marketing
marre: en avoir marre	to be fed up (of it)
marron	brown
marron-vert	greeny brown
mars	March
le massif	massif
le match	match
maternel(le)	motherly;
la langue maternelle	mother tongue
les maths = les mathématiques	maths/mathematics
le matin	morning;
le matin	in the morning;
demain matin	tomorrow morning;
tous les matins	every morning;
3 heures du matin	3 o'clock in the morning;
la matinée	morning;
faire la grasse matinée	to have a lie-in
me	me, to me
méchant(e)	naughty, wicked
médiéval(e)	medieval
méditerrannée	Mediterranean
meilleur(e)	better (*adj*)
le membre	member, limb
même	same, very, even, itself;
ce soir même	that very evening;
sur la plage même	on the beach itself;
quand même	all the same
menacer	to threaten
ménager/ménagère	household;
les travaux ménagers	household jobs/housework
mentionner	to mention
la mer	sea
merci	thank you
la mère	mother
merveilleux/merveilleuse	marvellous
mes (followed by plural noun)	my
le message	message
messieurs	(term of address used to several men)
mesurer	to be ... tall;
je mesure 1m.55	I am 1m.55 tall
le métier	job, profession

le mètre	metre
le métro	tube, underground train
métropolitain	Metropolitan;
en France métropolitaine	in Metropolitan France
mettre	to put;
on met combien d'heures?	how many hours does it take?
le meuble	piece of furniture
meublé(e)	furnished
le meurtre	murder
mi-juin	mid-June
mi-septembre	mid-September
mi-temps	half-time, part-time
la micro	microcomputing
le (four) micro-ondes	microwave oven
midi	mid-day
mieux	better (*adv*)
mignon/mignonne	sweet
le milieu/les milieux	circle/s (society);
les milieux professionnels	professional circles
le million	million
mince!	blast!
minuscule	tiny, minuscule
la minute	minute
le mobile	mobile (phone)
la mobilité	mobility
le modèle	model
moderne	modern
modifier	to modify
moi	me; I;
derrière moi	behind me
moins	less
le mois	month;
par mois	per month
le moment	moment
mon (followed by masculine noun)	my
le monde	world;
beaucoup de monde	a lot of people;
tout le monde	everyone
mondial(e)	world(-wide)
mono-insaturés	mono-unsaturated
Mons, Hainaut	(university town and province in Belgium)
monsieur	(term of address for a man)
le mont	Mount
la montagne	mountain
la montée	rise
monter	to go up, take up, set up;
monter les valises	to take the suitcases up;
monter une entreprise	to set up a business
la montgolfière	hot-air balloon
le monument	monument
le mot	word, note;
écrire un mot	to write a note

la motivation	motivation;
une lettre de motivation	letter of application
motivé(e)	motivated, independent, self-starter
la moto	motorbike
la moto verte	scrambling
la moule	mussel
le moulin	(wind)mill
la moulinette	small vegetable mill;
travail en moulinette	chimney work (technical rock-climbing term)
mourir	to die
le mouvement	movement
moyen/moyenne	average, middle-sized
le moyen	way, means
la moyenne	average
les moyens	means
le mur	wall
musclé(e)	muscular
la musculation	weight-training
le musée	museum
musical(e)	musical
la musique	music
le mystère	mystery
nager	to swim
naître	to be born
la natation	swimming
national (*mpl* nationaux)	national
la nationalité	nationality
la nature	nature
naturel/naturelle	natural
naturellement	naturally
ne … pas	not
nécessaire	necessary
nécessiter	to necessitate, make necessary
la négation	negation
négatif/négative	negative
la négociation	negotiation
la neige	snow
neuf	nine
le nez	nose
ni … ni … ne …	neither … nor …
Nice	Nice (town on the Mediterranean coast of France)
le niveau (*mpl* niveaux)	level
noir(e)	black
le nom	(sur)name
le nombre	number
nombreux/nombreuses	numerous, very many
le Nord	North
normal(e)	normal
normalement	normally, usually

Normandie	Normandy (region in northern France)
nos (followed by plural noun)	our
la note	note, bill
noter	to note (down)
notre (followed by singular noun)	our
la nourriture	food
nous	we, us, to us
nouveau/nouvel/nouvelle	new
novembre	Novembre
la nuit	night;
dans la nuit	at night;
de nuit	by night
numérique	numerical
le numéro	number
la nutrition	nutrition
nutritionnel/nutritionnelle	nutritional
obligé(e)	obliged;
être obligé de	to be obliged to/to have to
observer	to observe
obstruer	to obstruct, block
obtenir	to obtain
l'occasion (*f*)	occasion, opportunity;
à l'occasion d'un entretien	on the occasion of an interview/ should I be interviewed/when I come for interview
occupé(e)	busy
octobre	October
l'œuf (*m*)	egg
l'œuvre (*m*)	work (creative);
le hors d'œuvre	starter (on a menu)
offert	offered (past participle of **offrir**)
l'Office de Tourisme	Tourist Office
officiel/officielle	official
l'offre (*f*)	offer
offrir	to offer, to invite, to give
l'omelette (*f*)	omelette
on	one, we, they
l'oncle (*m*)	uncle
onze	eleven
opérer	to operate
l'opinion (*f*)	opinion
opposé(e)	opposite;
le sexe opposé	the opposite sex
l'or (*m*)	gold
or	now (in a story)
l'ordinateur (*m*)	computer
l'ordre (*m*)	order (command);
dans le bon ordre	in the right order
l'oreille (*f*)	ear
organiser	to organise
oser	to dare
où	where
oublier	to forget
ouest	West
oui	yes
l'outil (*m*)	tool;
les outils informatiques	computer software
ouvert	open, opened (past participle of **ouvrir**)
ouvrir	to open
la page	page
le pain	bread
paniquer	to panic
panoramique	panoramic
le pantalon	trousers
le papa	dad(dy)
le papier	paper
par	per; by; through;
par téléphone	by telephone;
par exemple	for example;
par hasard	by chance;
par une fenêtre	through a window;
par contre	on the other hand;
par rapport à …	in comparison with
paraître	to seem, appear
la paralysie	paralysis
le parapente	paraglider; paragliding
le parapluie	umbrella
le parc	park
parce que	because
le parent	parent
parfait(e)	perfect
parfaitement	perfectly
parisien/parisienne	Parisian
le parking	car-park
parler	to speak, talk
parmi	among, amongst
partager	to share
le/la partenaire	partner
participer à	to participate, take part in
particulièrement	particularly
la partie	part;
faire partie de	to be part of
partir	to leave, depart
la partition	score;
la partition musicale	musical score
partout	everywhere
paru	appeared, published (past participle of **paraître**)
pas: ne … pas	not
le passage	passage, route
le passager	passenger
le passeport	passport
passer	to spend (time); to pass by (someone's house);
passer son temps à …	to spend one's time (doing)

passionné(e)	passionate; an enthusiast
les pâtes (*fpl*)	pasta
pauvre	poor
payer	to pay (for)
le pays	country
le paysage	countryside
la pêche	fishing; peach
pédestre	pedestrian, on foot;
le circuit pédestre	walking circuit
la peine	trouble;
il vaut la peine	it's worthwhile
se pencher	to lean over
pendant	during
pendre	to hang;
pendre la crémaillère	to have a house-warming party
pénétrer	to penetrate, to infiltrate
penser	to think;
penser de	to think about, have an opinion on;
Qu'en penses-tu?	What do you think (of it)?
la pente	slope
perdre	to lose
le père	father
le perfectionnement	improvement
la période	period
le périphérique	ringroad
permettre	to allow, permit
le permis	permit;
le permis de conduire	driving licence
Perpignan	(town in the very south of France, on the border with Spain)
la personnalité	personality
personne: ne ... personne	no-one
la personne	person
le personnel	staff
personnellement	personally
persuader	to persuade
la perte	loss, waste;
une perte de temps	a waste of time
peser	to weigh
petit(e)	small, little;
le/la petit(e) ami(e)	boyfriend/girlfriend;
le petit gâteau	biscuit
peu	little;
un peu	a little
la peur	fear;
avoir peur de/que	to be afraid of/that
peut-être	perhaps
la photo	photo;
faire une photo	to take a photo
la photocopie	photocopy
photocopier	to photocopy
la phrase	phrase, sentence
physique	physical
la pièce	room
le pied	foot
piéger	to trap
pire	worse
la piscine	swimming-pool
la piste	slope
la pizza	pizza
la place	square;
sur place	on the spot
la plage	beach
plaisanter	to joke
Tu plaisantes!	You're kidding!
le plaisir	pleasure
le plan	plan;
les plans de carrière	career plans
la planche à voile	windsurfer; windsurfing
la planète	planet
planifier	to plan
la plante	plant
la plaque	sheet of snow/ice
la platine laser	CD player
plein	full;
plein centre	right in the centre
pleurer	to cry
la plongée	diving;
la plongée sous-marine	deep-sea diving
la plupart	most
plus	more
plusieurs	several
plutôt	rather
la poche	pocket
le poids	weight
le point	point;
un point, c'est tout!	and that's final!
le poisson	fish
la police	police
polyinsaturé	polyunsaturated
la pomme	apple
la pomme de terre	potato
le/la pompiste	petrol pump attendant
la population	population
le portable	laptop computer; mobile phone
portatif	portable;
le téléphone portatif	portable phone, mobile
la porte	door
la porte-fenêtre	French window
le porte-monnaie	purse
poser	to ask, pose;
poser une question	to ask a question;
poser un problème	to pose a problem;
poser sa candidature pour un poste	to apply for a job
positif/positive	positive
posséder	to possess, own
la possibilité	possibility
possible	possible

le poste	post, job
le pot – prendre un pot	to have a drink
la poubelle	dustbin
pour	for, in favour of
le pourboire	tip (money)
pourquoi	why
poursuivre	to pursue, follow, continue
se poursuivre	to continue, chase each other
pourtant	yet, however
pouvoir	can, to be able
pratique	practical, handy
pratiquer	to practise
le précepteur/la préceptrice	tutor (private)
préciser	to give details about
préférer	to prefer
le préjugé	prejudice
premier/première	first
prendre	to take, to have
la préparation	preparation
préparer	to prepare
près de	near, close to;
à peu près	about, approximately
la présentation	presentation
présenter	to present, introduce
se présenter	to introduce oneself
presque	almost
le pressentiment	premonition
la pression	pressure;
sous pression	under pressure
prêt	ready
les prétentions (*fpl*): quelles sont vos prétentions	what salary are you asking for?
prêter	to lend
le prétexte	excuse, pretext
prévenir	to prevent, avoid
prévoir	to foresee, predict, envisage, plan for
prier	to ask, beg
principal(e)	principal
le principe	principle;
en principe	in principle
le printemps	Spring
pris/prise	busy, otherwise engaged
le prisonnier	prisoner
le privilège	privilege
le prix	price
le problème	problem
prochain(e)	next
le produit	product
le professeur	teacher
professionnel(le)	professional
le profil	profile
profiter de	to make the most of
le programme	programme
le projet	project
la promenade	walk
se promener	to walk
promettre	to promise
propos: à propos de	about
proposer	to propose, suggest
la proposition	proposition, suggestion
propre	own; clean
le propriétaire	owner
protéger	to protect
prouver	to prove
Provençal	(s.o from S.E. France)
Provence	(region in S.E. France)
à proximité	nearby;
à proximité de	near
public/publique	public
publicitaire	publicity, advertising
puis	then
puisque	since
le pull	pullover
la pulsation	pulse, heartbeat
le quai	quay
les qualifications (*fpl*)	qualifications
la qualité	quality
quand	when
quarante-cinq	forty-five
le quart	quarter;
cinq heures moins le quart	quarter to five
le quartier	district
quatre	four
quatre-vingt-dix-sept	ninety-seven
que	which, what, that;
ne … que	only
quel(s)/quelle(s)	which
quelque	some
quelquefois	sometimes
quelqu'un	someone
la question	question
qui	who, which, that
quinze	fifteen
quitter	to leave, stop, give up
quoi	what
qu' (before a vowel)	which, what, that
qu'importe!	so what!
raconter	to tell a story, to say
le rafting	white-water rafting
le raid	long-distance trek
raide	straight
la raison	reason
raisonnable	reasonable
raisonner	to reason, argue
la randonnée	ramble, ride, drive; walking, hiking

ranger	to tidy
rapide	rapid, quick
rapidement	rapidly
le rapport	relationship;
par rapport à	in comparison with
la raquette (à neige)	snowshoe
rarement	rarely
se raser	to shave
se rassurer	to put your mind at ease;
rassurez-vous!	don't worry!
rater	to fail, miss
rattacher	to link, connect
ravi(e)	delighted
le rayon	shelf
la réaction	reaction
réagir	to react
réaliser	to realise, carry out, conduct
récemment	recently
récent(e)	recent
le/la réceptionniste	receptionist
rechercher	to seek, hunt
la réclusion	imprisonment
recommander	to recommend
reconnaître	to recognise, admit
recruter	to recruit
récupérer	to get back, recuperate
la rédaction	writing, editing
rédactionnel(le)	editorial
rédiger	to write, edit
la réduction	reduction
réduit(e)	reduced
réel/réelle	real
réellement	really
la référence	reference
refuser	to refuse
regarder	to look at, watch
la région	region
régional (*pl.* régionaux)	regional
régler	to sort, arrange
la réglementation	rules, regulations
le regret	regret;
je suis au regret de devoir	I regret having to
regretter	to regret, to be sorry
régulier/régulière	regular
régulièrement	regularly
Reims	(cathedral town in northern France)
la relation	relation;
les relations publiques	public relations
relaxant	relaxing
relaxe	relaxed
relaxer	to relax
remarquable	remarkable
remarquer	to remark, to notice
remercier	to thank
remettre en liberté	to set free again
remis	put back
remonter	to go back up
remplir	to fill
la renaissance	revival
rencontrer	to meet
le rendez-vous	meeting, appointment, date
rendre	to give back;
rendre visite à (+ person)	to visit
se rendre	to go, get to
Rennes	(capital city of Brittany in northern France)
renouveler	to renew
les renseignements (*mpl*)	information
se renseigner	to get information
la rentrée	start of the school/academic year
rentrer	to go back
renverser	to spill
répandu	widespread (past participle of **répandre**);
une idée largement répandue	a commonly held/widespread idea
réparer	to repair
repartir	to go away again
le repas	meal
le repassage	ironing
repérer	to spot
répondre	to reply
la réponse	reply
reprendre	to take up again, continue
réputé(e)	reputed, well-known
requis	required
rescapé	surviving
la réservation	reservation, booking
réserver	to reserve, book
ressortir	to come out again
respectueux/respectueuse	respectful
responsable	responsible
le restaurant	restaurant
la restauration	catering, restoration
restaurer	to restore
rester	to stay, remain
restreint(e)	restricted, limited
résumer	to resume, sum up
le retard	delay
retirer	to withdraw, take away
le retour	return
retourner	to return
retrouver	to discover, find
la réunion	meeting
réussir (à)	to succeed (in)
le rêve	dream
le réveil	alarm clock

rêver	to dream
revenir	to return, come back
réviser	to revise
la révision	revision
revoir	to see again
la révolution	revolution
le rez-de-chaussée	ground floor
riche	rich
rien: ne … rien	nothing
rigoler	to joke, have a laugh
la rigueur	rigour
rimer	to rhyme
rire	to laugh
risquer	to risk, be in danger of, 'may well'
la rivière	river
rocheux/rocheuse	rocky
le rôle	role
le roman	novel
rose	pink
rouge	red
la route	road
la rue	street
la ruelle	small back street
le rugby	rugby
la Russie	Russia
sa (before feminine noun)	his/her/its
le sable	sand
le sac	bag
la saison	season
le salaire	salary
le/la salarié(e)	employee, wage earner
la salle	room
saluer	to salute, welcome, greet
salut!	hi!
la salutation	greeting
samedi	Saturday
le sandwich	sandwich
le sang	blood
sans	without
la santé	health
saturé(e)	saturated
le saumon	salmon
Saumur	(town on the River Loire in central France, famous for its champagne)
le sauna	sauna
le saut	jump;
le saut à l'élastique	bungee jump
sauter	to jump
sauvage	wild
sauver	to save
savoir	to know (how to)
scientifique	scientific
scolaire	school;
le travail scolaire	school work
la scolarité	schooling
le sèche-cheveux	hairdrier
le sèche-linge	tumble-drier
secondaire	secondary;
l'enseignement secondaire	secondary education
le/la secrétaire	secretary
le secrétariat	secretarial work
secrètement	secretly
la section	section
la sécurité	safety
le sein	bosom, breast;
au sein d'une équipe	as part of a team
le séjour	sitting room; stay
le séjournant	guest, person who is staying
la sélection	selection
selon	according to;
selon mes connaissances	as far as I know
la semaine	week
semblable	similar
semblant: faire semblant de	to pretend
sembler	to seem
le séminaire	seminar
sens (from **sentir**): je sens	I feel
le sens	direction; sense;
à mon sens	to my mind
la sensation	sensation
le sentiment	feeling
sentir	to feel
séparer	to separate
sept	seven
septembre	September
sera (future of **être**)	will be
sérieux/sérieuse	serious
se sert: il se sert avec	it is served with
le serveur/la serveuse	waiter/waitress
serviable	obliging, helpful
le service	department
ses (before plural nouns)	his/her/its
la session	session
seul(e)	alone, sole, only
seulement	only
sévrer	to sever, break off
le sexe	sex
si	if; yes (after a negative question)
le siège	Head Office
les siens	his/her/its (ones)
le silence	silence
silencieux/silencieuse	silent
simple	simple
simplement	simply

le site	site
la situation	situation
situé(e)	situated, positioned, located
six	six
sixième	sixth;
le sixième continent	the underwater world
le ski	ski;
le ski nautique	water-skiing
le skieur	skier
le skinhead	skinhead
le slogan	slogan
le SMIC (Salaire Minimum Interprofessionnel de Croissance)	minimum wage
sociable	sociable
social(e)	social
la société	company, firm, society
la sœur	sister
soigneux/soigneuse	careful
soigneusement	carefully
le soin	care;
être aux petits soins pour quelqu'un	to attend to someone's every need
le soir	evening
la soirée	evening; party
le solarium	solarium
le soleil	sun
solitaire	lonely
la solution	solution
le sommet	summit
son (before masculine nouns)	his/her/its
le son	sound;
spectacle son et lumière	light and sound show
le sondage	opinion poll, survey
sonner	to ring
sortir	to go out
souhaiter	to wish, want
soulever	to raise;
le problème soulevé	the problem raised
souriant	smiling
sourire	to smile
sous	under
soutenir	to support
souterrain(e)	underground
le souvenir	memory, souvenir
se souvenir de	to remember
souvent	often
spécial (*pl* spéciaux)	special
le spectacle	show;
spectacle son et lumière	light and sound show
spirituel/spirituelle	witty
splendide	splendid
le sport	sport
sportif/sportive	sporty, keen on sports;
le centre sportif	the sports centre
le squash	squash
le stage	course;
stage en entreprise	work placement
le/la stagiaire	someone on placement; trainee
le start-up	start-up
la station	station; resort;
station de métro	underground station;
station balnéaire	swimming resort;
station de ski	ski resort
le steak-frites	steak and chips
le stress	stress
stressé(e)	stressed (out)
le studio	studio flat/bedsit
le style	style
le stylo	pen
subir	to undergo
le succès	success
sud	South
suite: de suite/ tout de suite	immediately;
suite à	following
suivant	following
suivre	to follow
super	super, very
supérieur(e)	upper, higher, superior
le supermarché	supermarket
supplémentaire	supplementary
supporter	to endure, bear
sûr(e)	sure, certain;
bien sûr	of course
de surcroît	in addition
le surf	surfing
la surprise	surprise
surtout	above all, especially
la surveillance	watch;
poste de surveillance	life-guard station
le survol	flight over
le suspect	suspect
le symbole	symbol
sympa	nice
le synonyme	synonym, word with the same meaning
ta (before feminine nouns)	your
la table	table
la tâche	task
la taille	size
en tant que	as, in the capacity of
tard	late
le tarif	rate, tariff, price
la tasse	cup

la taxe	tax
te	you, to you
technique	technical
technologique	technological
la télé	TV
téléphoner (à quelqu'un)	telephone (someone)
téléphonique	telephonic
le téléviseur	TV set
la télévision	television
tellement	so, so much/many;
pas tellement	not really
le temps	time, weather;
plein temps	full time;
à mi-temps	part time;
l'emploi du temps	timetable
tendre	to stretch
le tennis	tennis
la tente	tent
la tenue	brief, duties
le terme	term
terminer	to end, finish
le terrain	ground, land
la terrasse	terrace
la terre	earth, ground, land;
la pomme de terre	potato
terrestre	terrestrial;
sports terrestres	land-based
tes (before plural noun)	your
la tête	head;
en tête	in the lead
le texte	text
le thème	theme, subject
les tiens	yours, your ones
le tigre	tiger
le tire-bouchon	corkscrew
toi	you
la tomate	tomato
tomber	to fall;
tomber amoureux/amoureuse	to fall in love
ton (before masc. noun)	your
la tonne (1 000 kg.)	tonne, metric ton
tort	wrong;
avoir tort	to be wrong
la torture	torture
tôt	early
totalement	totally
toujours	still, always;
toujours plus grand	bigger and bigger
le tour	turn, trip;
faire un tour de la classe	go round the class;
faire un tour à pied	go for a walk/stroll;
à chacun son tour	everyone takes a turn;
c'est le tour de ...	it's ...'s turn
le tourisme	tourism
le/la touriste	tourist
touristique	tourist, which attracts tourists
la Toussaint	All Saints' Day (1st November)
tout/toute/tous/toutes	all, every, everything;
tout le monde	everyone;
tout de suite	immediately;
tout à fait	completely;
pas du tout	not at all;
tout près de	very close to;
de toute façon	in any case
traditionnel/traditionnelle	traditional
le traducteur/la traductrice	translator
la traduction	translation
traduire	to translate
le train	train
traîner	to lie around, drag
le traitement: machine à traitement de texte	word-processor
traiter	to deal with
le trajet	trip, journey
tranquille	quiet
tranquillement	quietly
la transparence	transparency, openness
le transport	transport
transporter	to transport
le travail (*pl* travaux)	work;
le travail scolaire	school work
travailler	to work
travailleur/travailleuse	hard-working
à travers	across, through
la traversée	crossing
traverser	to cross
trente	thirty
très	very
trial	trial;
moto-trial	trial bike/biking
triple	triple
trois	three
se tromper	to make a mistake
trop	too much
trouver	to find
tu	you
tuer	to kill
le tunnel	tunnel
le turbotrain	fast train
le type	type
typiquement	typically
ULM: ultra-léger-motorisé	micro-light aircraft
un/une	a, one
unique: fils/fille unique	only child

uniquement	only
universitaire	university;
la vie universitaire	university life;
les équipements universitaires	university facilities
l'université (*f*)	university
utile	useful
utiliser	to use
les vacances (*fpl*)	holidays
les vacanciers (*mpl*)	holidaymakers
la vaisselle	washing-up;
faire la vaisselle	to do the washing-up
la valeur	value
varié(e)	varied
vas (from **aller**): tu vas	you go
vaste	vast, very large
vaut (**valoir**): il vaut mieux	it is better;
il vaut la peine	it is worthwhile
la vedette	star (celebrity)
le végétérien/la végétérienne	vegetarian
le vélo	bike;
le vélo tout terrain	mountain bike/biking
vendre	to sell
vendredi	Friday
venir	to come
la vente	sale
le verbe	verb
Verdon: Gorges du Verdon	(spectacular gorges in S.E. France)
véritable	real
la vérité	truth
verra (future of **voir**): on verra	we'll see
le verre	glass
vers	towards, about;
vers une heure	about one o'clock
verser	to pour
vert(e)	green;
la moto verte	scrambling
vertical(e)	vertical
le vertige	vertigo;
avoir le vertige	to feel giddy
la veste	jacket
le vêtement	clothing (piece of)
veuillez (from **vouloir**)	please, would you be so kind as to ...
la victime	victim
la victoire	victory
vidéo	video
vider	to empty
la vie	life
vieux/vieil/vieille	old
le village	village
la ville	town
le vin	wine
vingt	twenty
vingt-deux	twenty-two
la vision	vision
visiter	to visit
le visiteur	visitor
la vitamine	vitamin
vite	quickly
la vitesse	speed
la vivacité	vivacity
vif/vive	lively, bright
vivre	to live
le vocabulaire	vocabulary
la vocation	vocation, calling
la vogue	fashion;
en vogue	in fashion
voici	here is;
la voie	way, trail
voilà	there; that's it!
la voile	sail, sailing
le voilier	sailing dinghy
voir	to see
le voisin	neighbour
voisinant	neighbouring
la voiture	car
le vol	theft, flight
le volant	steering wheel
le volcan	volcano
voler	to steal, to fly
le voleur	thief, robber
vos (before plural noun)	your
votre (singular noun)	your
voudrais (from **vouloir**): je voudrais	I would like
vouloir	to wish, want
vous	you
voyager	to travel
le voyou	lout, hooligan
vrai(e)	true, real
vraiment	real
le VTT	mountain bike/biking
vu (past participle of **voir**)	seen
la vue	view
le walkman	walkman
le week-end	weekend
le whisky	whisky
les yeux (*mpl*) (*sing*. un œil)	eyes
zut!	bother it!/damn!

SOLUTIONS

UNIT 1

6 **a** F; **b** V; **c** F; **d** V; **e** F; **f** F; **g** V; **h** V; **i** F; **j** V.

8 **a** Vous êtes déjà allé en France? **b** Qu'est-ce que vous avez vu? **c** Vous avez visité le Louvre? **d** Où avez-vous logé? **e** Vous aimez la nourriture française? **f** Vous êtes sorti le soir?

9 **a** Hier, elle a pris le train pour Caen. **b** Elle est arrivée à la gare vers 8h30. **c** Elle a déjeuné dans le train. **d** Elle a passé l'après-midi à lire un magazine. **e** Elle a dormi un peu. **f** Elle a raté la gare de Caen! **g** Elle a téléphoné à ses amis et ils ont beaucoup rigolé.

10 **a** Elle s'appelle Louise. **b** Elle fait ses études à l'université de Cardiff. **c** Elle étudie la géographie. **d** Oui. **e** A St. Cirq Lapopie dans le département du Lot. **f** Non, elle est partie avec trois amis. **g** Ils ont fait du camping. **h** Ils ont nagé et ils ont fait du canoë. **i** La ville de St. Cirq Lapopie est très intéressante. C'est une ville médiévale avec des boutiques et des restaurants. **j** On peut manger ou prendre un pot.

12 **Aziz** – Grèce; parents; baigner, bronzer, visiter des ruines/temples grecs.
Marie-Claire – France; copain; camper, nager, vélo, balades dans la forêt.
David – Moroc; seul; dormir dans le désert, Marrakech, shopping, cadeaux.
Caterina – Autriche; amis; Tirol, randonnée, Vienne, concerts

13 **a** Yes – 'Initiation'. **b** Riding, tennis, walking, cross-country skiing. **c** Dormitory, camp-site, hotels and self-catering 'gîtes'. **d** Yes.

Exercices de grammaire

1 **a** Vous êtes étudiant? Etes-vous étudiant? Est-ce que vous êtes étudiant? **b** Il travaille dans un supermarché? Travaille-t-il ... ?; Est-ce qu'il travaille ...? **c** Ils parlent français? Parlent-ils français? Est-ce qu'ils parlent français? **d** Vous aimez la musique? Aimez-vous la musique? Est-ce que vous aimez la musique? **e** Il a déjà visité la France? A-t-il déjà visité la France? Est-ce qu'il a déjà visité la France? **f** Vous êtes déjà allé(e) en Bretagne? Etes-vous déjà allé(e) en Bretagne? Est-ce que vous êtes déjà allé(e) en Bretagne?

2 **a** Vous n'êtes pas étudiant? **b** Il ne travaille pas dans un supermarché? **c** Ils ne parlent pas français? **d** Vous n'aimez pas la musique? **e** Il n'a pas déjà visité la France? **f** Vous n'êtes pas déjà allé(e) en Bretagne?

3 **i** – d; **ii** – a; **iii** – f; **iv** – h; **v** – g; **vi** – b; **vii** – c; **viii** – e.

4 **avoir** verbs **a** J'ai mangé ... . **b** Nous avons travaillé ... . **c** Ils ont choisi ... . **d** Vous avez fini ... . **e** Tu as vendu ...
être verbs **a** On est allés ... . **b** Ils sont arrivés ... . **c** Je suis entré(e) ... . **d** Nous sommes sorti(e)s ... .

UNIT 2

1 **a** Son billet de train. **b** Partout – dans ses poches et dans son sac. **c** Entre les pages de son livre.

3 **1** – f; **2** – d; **3** – c; **4** – b; **5** – e; **6** – a.

4 Notre héros s'est levé tôt et s'est vite habillé pour aller à l'université mais il a dû attendre un quart d'heure à l'arrêt d'autobus. Il a donc décidé d'y aller en vélo. En entrant finalement dans sa classe avec dix minutes de retard, son amie a remarqué qu'il a mis deux chaussettes différentes.

6 **A 1** She was a cleaner. Her friends (like the Fairy Godmother) took her to a 'ball' (in this case a club). She danced most of the evening with Serge – her Prince Charming. She lost her shoes. The following day Serge came looking for her with the shoes. **2** No, but pretty quickly all the same. They got engaged in October and the marriage took place two weeks ago. **3** No, she was able to finish her studies, and has a good well-

paid job now.
B 1 ma vie s'est transformée; pourquoi vos amies vous ont-elles donné … ?; vos amies vous ont appelée … ?; je suis arrivée; Mais amis m'ont dit; elles vous ont amenée?; elles m'ont prêté; on est allées; vous vous êtes rencontrés?; on a dansé; je ne les ai pas retrouvées; votre Prince Charmant les a trouvées?; je suis rentrée; Serge est venu; Vous vous êtes mariés?; On s'est fiancés; le mariage a eu lieu; j'ai pu. **2** The past participle of verbs conjugated with **être** (mostly verbs of movement and reflexive verbs) agrees with the subject of the verb – adds **-e** if the subject if feminine and **-s** when it's plural. The past participle of verbs conjugated with **avoir** agrees with a preceding direct object if there is one (but not an indirect object).

8 (For example:) **a** Non, je suis resté(e) chez moi./Si, je suis allé(e) en ville. **b** Non, je ne me suis pas couché(e) tard./Si, je me suis couché(e) tard, à minuit. **c** Non, c'est vrai, je ne me suis pas beaucoup amusé(e)./Si, je me suis bien amusé(e). **d** Non, je ne suis pas fatigué(e)./Si, je suis très fatigué(e). **e** Non, je suis arrivé(e) en retard./Si, j'ai assisté au cours. **f** Non, tu as raison, je m'endors./Si, je suis alerte!

10 Il a **mis** le café
Dans la tasse
Il a **mis** le lait
Dans la tasse de café
Il a **mis** le sucre
Dans le café au lait
Avec la petite cuiller
Il a **tourné**
Il a **bu** le café au lait
Et il a **reposé** la tasse
Sans me parler
Il a **allumé**
Une cigarette
Il a **fait** des ronds
Avec la fumeé
Il a **mis** les cendres
Dans le cendrier
Sans me parler
Sans me regarder
Il s'est **levé**
Il a **mis**
Son chapeau sur sa tête
Il a **mis**
Son manteau de pluie
Parce qu'il pleuvait
Et il est **parti**
Sous la pluie
Sans une parole
Sans me regarder
Et moi j'ai **pris**
Ma tête dans ma main
Et j'ai **pleuré**.

12 **Alistair** – perd ses affaires; simplifier la vie, toujours remettre les choses dans le bon endroit. **Dimitra** – chocomaniaque; se promener, manger une pomme. **Tim** – problème du cœur, tombe amoureux de la mauvaise personne; participer aux clubs pour rencontrer des gens qui ont les mêmes centres d'interêts que lui. **Fouzia** – ne se reveille pas le matin; se coucher plus tôt, demander à un ami de frapper à sa porte.

13 **1 a** A man she met on a holiday. **b** He gave her his chain (bracelet). **c** That he loves her. **d** Because she does not believe him, they live far apart and she is afraid he might go out with someone else. **e** Concentrating on her studies and going out with other friends. **f** Panicking. **g** To continue writing to him. **h** Yes because he wrote and said he loved her. **i** Arrange a meeting. Organise a weekend or holiday together.
2 je suis sortie; j'ai rencontré; on a passé; on est allés; on s'est quittés; il m'a offert; il t'a écrit; il a dit; vous vous êtes bien amusés.

Exercices de grammaire

1 **a** Vous ne vous êtes pas levés. **b** Il ne s'est pas couché. **c** Ils ne se sont pas approchés. **d** Tu ne t'es pas brossé les dents. **e** Elle ne s'est pas habillée. **f** Nous ne nous sommes pas trompés.

2 **a** tombée; **b** mariés; **c** assise; **d** critiquée; **e** décidée; **f** amusés; **g** offert; **h** installés.

3 **a** Mes livres de maths? Je les ai prêtés … **b** Ma voiture? Je l'ai prêtée … **c** Mon parapluie? Je l'ai prêté … **d** Mes chaussettes multicolores? Je les ai prêtées …

UNIT 3

4 **a** Il passe tout son temps à réviser. **b** Il vient de déménager. **c** Non, c'est l'anniversaire de son frère.

9 **a** Apportez-moi une bière, s'il vous plaît. **b** Es-tu libre ce soir? **c** Excusez-moi. Je ne vous ai pas compris. **d** A quelle heure penses-tu sortir ce soir?

10 **a** Ses affaires. **b** Son walkman. **c** Quelques CDs. **d** Non. **e** Elle a promis de les (lui) apporter demain. **f** Non, ça fait deux ans et elle ne les a toujours pas récupérés.

12 **Etienne** – jeudi, vendredi; musique, cinéma. **Nadia** – mercredi, vendredi; cinéma, restaurant. **Brett** – mardi, vendredi; sports, cinéma. **Hélène** – mercredi, vendredi; cinéma, restaurant. Tout le monde veut aller au cinéma vendredi.

13 **A** **a** faux; **b** faux; **c** vrai; **d** faux; **e** vrai; **f** vrai; **g** vrai.

B Antoinette est en **vacances**. Elle fait **du ski**. On **mange** très bien et il y a une **télévision** dans la **chambre**. Le soir, elle **sort** beaucoup et **se couche** tard. C'est dur de **se lever** le matin! Elle a **un baladeur** pour **écouter** de la musique sur les pentes.

Exercices de grammaire

1 **1** – c; **2** – f; **3** – e; **4** – b; **5** – a; **6** – d.

2 **a** Il me les pose. **b** Elle nous les donne. **c** Je le lui ai prêté. **d** Il me l'a rendu. **e** Nous vous les proposons à prix réduit.

3 **a** Il ne me les pose pas. **b** Elle ne nous les donne pas. **c** Je ne le lui ai pas prêté. **d** Il ne me l'a pas rendu. **e** Nous ne vous les proposons pas à prix réduit.

4 **a** J'aime en acheter. **b** Nous voudrions la savoir. **c** On va en manger. **d** Il pense le boire.

UNIT 4

2 **1** – c; **2** – b; **3** – b; 4 – a; **5** – b.

6 **a** C'est l'été. **b** Il faisait très chaud. **c** Parce qu'il y avait beaucoup de monde. **d** Parce qu'il travaillait très tard – il avait un projet à terminer. **e** Il rentrait directement à la maison. **f** Parce qu'il a decidé de se marier. Il a invité une jeune collègue à prendre un pot avec lui. **g** Kaleb. **h** Une bière. **i** Souriante et belle. **j** Un jus d'orange? Un Kir (vin blanc avec du cassis)? Un coca? Une bière? Un citron pressé? (à vous de choisir).

7 **1** Parce qu'il n'arrive pas à dormir après. **2** Au cinéma. **3** Il fait de la natation/Il va nager/Il va à la piscine.

10 **1** – f ; **2** – c; **3** – e; **4** – a ; **5** – b; **6** – d.

12 **a** **1** Voyage; **2** Mariage; **3** Interruption de carrière; **4** Déménagement. **b** **1** Tout à fait d'accord; **2** Plutôt contre; **3** Absolument pas; **4** Plutôt pour.

13 **a** from 7 in the evening till 8 in the morning during the week and all public holidays; **b** both; **c** an average of 20% at the same times.

Exercices de grammaire

1 **a** je prenais; **b** je cherchais; **c** je faisais; **d** je rangeais; **e** je vidais; **f** je faisais; **g** je réparais; **h** je remplissais; **i** j'organisais; **j** je rentrais.

2 **a** J'aimais mes professeurs. **b** Il terminait son repas du soir quand le téléphone a sonné. **c** Ils vendaient des journaux mais ils ne les vendent plus. **d** Il faisait très chaud.

e Elle avait trois filles. **f** Ils/Elles étaient à la plage. **g** Il voulait aller à l'étranger. **h** Nous n'étions pas heureux. **i** Vous preniez/Tu prenais une décision très importante. **j** Elle détestait faire ses devoirs.

3 e; b; f; d; c; a.

UNIT 5

6 **a** – F; **b** – V; **c** – F; **d** – V; **e** – F; **f** – V; **g** – V.

10 **a** 20 minutes d'exercice trois fois par semaine. **b** Non. **c** De la marche, du vélo ou de la natation. **d** Marcher au lieu d'aller en voiture, prendre l'escalier au lieu de l'ascenseur. **e** Vous allez devenir plus énergique, moins stressé, et vous allez pouvoir vous concentrer mieux sur vos études.

11 (suggested order but there are other possibilities) g; c; h; b; d; i; f; a; e.

12 **1** Sortir; **2** Trouver un petit ami; **3** Exercice; **4** Voyage.

13 **a** Because they think genetically modified foods are advantageous in a number of ways. **b** Better for nature as, for example, potatoes which have natural defences do not require so many pesticides. Better for the consumer as they have a longer shelf-life, keeping their flavour and nutritional qualities longer. **c** Ways in which the public may be kept better informed, more clearly and with greater transparency.

Exercices de grammaire

1 **a** Elle est très grande. **b** Elle a les cheveux longs et bruns. **c** Il a les cheveux courts et blonds. **d** La famille entière a les yeux bleus. **e** Mon homme idéal … **f** Ma femme idéale … **g** Une jupe courte. **h** Des chemises bleues.

2 **a** un vrai ami; **b** une histoire vraie; **c** une grosse boîte; **d** un meilleur emploi; **e** un bon type; **f** un jeune homme; **g** une petite fille; **h** un bon repas.

3 **a** normalement; **b** régulièrement; **c** génétiquement; **d** énergiquement; **e** généralement; **f** naturellement.

4 **a** Tu dois le faire immédiatement. **b** Je ne veux pas y aller. **c** Il ne peut pas manger d'escargots. **d** On veut y aller demain. **e** Nous pouvons le faire plus tard. **f** Ils doivent le prendre à neuf heures.

UNIT 6

1 **1** – i ; **2** – d; **3** – f ; **4** – k; **5** – g; **6** – c; **7** – j; **8** – a; **9** – b; **10** – e; **11** – h.

2 **a** Je voudrais parler avec … **b** Je vous la passe. C'est de la part de qui? **c** … (your name) … à l'appareil. **d** En quoi puis-je vous aider? **e** J'ai vu votre annonce dans le journal ce matin. **f** Je voudrais poser ma candidature pour le poste de traducteur. **g** Bien sûr, madame. Je le fais tout de suite.

6 **a** Personal assistant to the managing director. **b** Classic secretarial duties but also managing some portfolios and preparing and writing documents for presentations, seminars or other activities with their partners. **c** Further education degree, good mastery of English and IT (Word, Excel, Powerpoint). Ideally, should have experience in a high-tech environment with a director. **d** Availability, writing ability and a spirit of curiosity.

8 **a** – F; **b** – V; **c** – V; **d** – F.

12 Sales assistant for Internet product; Bac + 2 or higher education diploma; dynamism, enthusiasm, good English; Grenoble; no; Wednesday 10th/Thursday 11th 9 a.m.

13 **a** Selling musical scores through the Internet. **b** Bilingual section head. **c** Yes – h(ommes)/f(emmes). **d** A team of 20 people adapting musical scores for exploitation on the net. **e** Team management. **f** Knowledge of music and software. **g** Letter of application, CV, photo and expected salary.

Exercices de grammaire

2 **1** – e; **2** – c; **3** – d; **4** – a; **5** – f; **6** – b.

3 **a** – qui; **b** – que; **c** – que; **d** – qui; **e** – que.

4 **a** – Cette; **b** – Ces; **c** – ce; **d** – cet

5 **a** Celles-ci! **b** Celui-ci! **c** Ceux-ci! **d** Celle-ci!

UNIT 7

5 **1** – d; **2** – f; **3** – b; **4** – e; **5** – a; **6** – c.

6 **a** easier if you live in the West of England; fewer hours on the road; a quiet night or day crossing; arrive in Paris fresh; only 238 km from Caen to Paris by a very pleasant (green) motorway or two hours by train; cruise-style comfort on board.

6 **b** You can cross the Channel by plane, tunnel or ferry. But if your journey takes you from the West of England to Paris, it's worth considering the Portsmouth–Caen crossing. You'll spend fewer hours on the road and you will have a quiet night or six hours on board during the day to relax. No more traffic jams, no more stress! You will arrive in Paris ready to make the most of all that Europe's most beautiful capital city has to offer.

Caen is only 238 km from Paris by the greenest motorway in France, the A13 Normandy motorway. And two hours from Saint-Lazare station in Paris by turbo-train. Portsmouth/Caen-Ouistreham, Brittany Ferries' new line, takes you to France all year round, day or night, on a new boat, the 'Duke of Normandy' which can transport 1500 passengers and 360 cars each day in cruise-style comfort.

9 **a** le jeudi 5 juin; **b** le vendredi 21 septembre; **c** le dimanche 16 mars; **d** le mercredi premier février; **e** le samedi 15 avril; **f** le lundi 31 août.

10 **a** Suite à notre conversation téléphonique d'aujourd'hui; **b** à mon nom; **c** Je vous prie d'agréer, monsieur/madame, l'expression de mes sentiments distingués./Je vous prie de croire, madame/monsieur, en mes sentiments les meilleurs; **d** Je suis au regret de devoir annuler ma réservation; **e** Je vous remercie de votre compréhension.

12 **Baird** lundi/mardi 15–16 août, 7h du soir, 1 chambre avec salle de bains; **Drakapoulou** samedi/dimanche 13–14 août, 21 h, 1 chambre simple avec douche; **Roussel** vendredi 26 août, 18h, 1 chambre double avec salle de bains; **Dufain**, lundi 8 août, 18 h, 1 chambre à grand lit, 1 chambre à 2 lits, 1 chambre avec douche et 1 avec salle de bains.

13 swimming; fantastic views; Finnish sauna; solarium; organised outdoor activities; Verdon-Raft leisure centre; white-water rafting; hydrospeed; canyoning; mountain-biking; kayak canoeing; windsurfing.

60 camping pitches; hot water; washing-machine; hairdrier; microwave oven, ironing, barbecue; pitches with 3-way electrical extension lead; telephone, video.

Open from 23 March to 10 October. Caravans, mobile homes and flats to rent.

Exercices de grammaire

1 **a** je boirai; **b** tu prendras; **c** il achètera; **d** elle mangera; **e** nous donnerons; **f** vous parlerez; **g** ils seront; **h** elles croiront.

2 **a** Ils viendront; **b** J'arriverai; **c** Il sera; **d** Nous ferons; **e** Tu iras; **f** Elle pourra; **g** On devra; **h** Je saurai; **i** Vous voudrez; **j** Nous verrons/On verra.

3 **a** arrivera; **b** partira; **c** donnerai; **d** Pourras; **e** seras; **f** changerai; **g** sera; **h** viendrons; **i** serez; **j** voudra; **k** Pourrez; **l** verra.

4 **a** Ne bois pas ce vin! **b** Ne partez pas tôt le matin! **c** Ne le lui donne pas! **d** Ne me rends pas mon livre! **e** N'embrasse pas Philippe! **f** N'achetez pas du pain. **g** Ne le faites pas! **h** Ne viens pas ici!

UNIT 8

6 (U) = Unsuitable; (S) = Suitable
a – C (U); **b** – D (S); **c** – I (S); **d** – B (U); **e** – A (S); **f** – F (S); **g** – H (U); **h** – G (U); **i** – E (U)

8 f; c; b; a; e; d.

11 **a** to apply for the post as administrative assistant; **b** his CV so that they can evaluate his suitability for the job; **c** because he is interested in market research; **d** when/if he is called for interview.

12 **Glorion** – bac + 2, préfère travailler seul, pas d'expérience mais apprend vite, 1220 euros par mois; **Jouffrey** – licence universitaire en marketing, 2 ans d'expérience, entreprenante, sociable, sait travailler sous pression, aime travailler seule et en équipe, 22.500 euros par an; **Tyler** – diplômé en Etudes Economiques, pas beaucoup d'expérience, aime travailler en équipe, très sociable, 1.125 euros par mois; **Kröger** – licence universitaire, bac + 3, 3 ans d'experience avec Europ Assistance; parle plusieurs langues, entreprenante et dynamique, préfère travailler en équipe, 375 euros par semaine.

Exercices de grammaire

1 **a** je prendrais; **b** tu aurais; **c** il poserait; **d** elle serait; **e** nous achèterions; **f** vous mangeriez; **g** ils croiraient; **h** ils feraient.

2 **a** elle aurait; **b** ils viendraient; **c** tu ferais; **d** elles voudraient; **e** je devrais; **f** je saurais; **g** il pourrait; **h** nous verrions; **i** on irait; **j** vous seriez.

3 **a** – 3; **b** – 5; **c** – 6; **d** – 1; **e** – 4; **f** – 2.

4 **a** Si j'ai assez d'argent, j'**irai** en Italie cet été. **b** Que feriez-vous, s'il n'y **avait** pas de télévision? **c** Si les ordinateurs **étaient** abolis, la civilisation moderne s'écroulerait. **d** Si j'**avais** mon mobile sur moi, je serais plus à l'aise.

5 **a** Si j'avais un boulot, je serais riche. **b** Si j'étais riche, j'irais en vacances. **c** Si j'allais en vacances, j'irais avec toi. **d** Si tu m'accompagnais, tu voudrais aller en Espagne. **e** Si on allait en Espagne, on devrait parler espagnol.

UNIT 9

4 **a** 2 pièces + cuisine et salle de bains. **b** 5ème étage. **c** A droite. **d** Dans le séjour et dans la cuisine. **e** Un micro-ondes, un sèche-linge, un ordinateur, un magnétoscope et une platine laser. **f** La chambre. **g** 375 euros par mois. **h** 30 euros. **i** Oui – elle peut s'installer dès demain si elle veut. **j** Non – elle a deux autres appartements à voir.

6 **1** = e; **2** = d; **3** = a; **4** = c; **5** = b.

8 **a** 11. **b** Roadworks. **c** 1 pre-dinner drink and 3 glasses of wine with the meal. Your driving licence will be withdrawn. **d** A young skinhead. **e** No-one! (30 were evacuated).

9 **a** Si aucun passager ne peut conduire, votre voiture sera immobilisée sur place.
b Le nombre n'était pas connu hier soir.
c Personne n'a été blessé. **d** (Le) Boeing 727 qui s'est écrasé au décollage de l'aéroport de Dallas aux Etats-Unis. **e** Les 30 passagers ont été évacués. **f** Un nombre de jeunes enfants n'avait pas été enregistrés. **g** Les bretelles d'accès seront barrées.

11 **Thierry** – F3, immeuble moderne avec ascenseur, partage avec un autre étudiant, 2 chambres, 1 séjour, petite cuisine, 480 euros par mois; **Sandrine** – F2, quartier agréable, jeune, 1 chambre, 1 séjour, petite cuisine, 1 salle de bains, 440 euros par mois; **Ahmed** – studio, banlieue parisienne, salle de bains minuscule mais cuisine (kitchenette) bien équipée, 380 euros par mois; **Juliette** – F2 sous les toits à Montmartre, minuscule, très clair, très agréable, petite cuisine et petite salle de bains, 420 euros par mois.

12 Correct order of sentences b; f; j; e; h; d; g; a. Sentences c and i inaccurate.

Exercices de grammaire

1 **a** – 5; **b** – 4; **c** – 1; **d** – 3; **e** – 2.

2 **a** Two million tonnes (metric) of apples are consumed per year. **b** The police are equipped. **c** Four bodies were/have been found. **d** 30 people were/have been killed. **e** The motorway will be blocked off.

3 **a** Beaucoup de pommes françaises sont consommées en Grande-Bretagne chaque année. **b** Votre permis de conduire sera retiré. **c** Les raisons de cet incident n'étaient pas connues. **d** Quatre-vingt-quinze personnes ont été tuées. **e** Les enfants n'avaient pas été enregistrés.

4 **a** du champagne; **b** de l'eau; **c** des œufs; **d** du citron; **e** un tire-bouchon.

5 **a** On m'a donné un bouquet de fleurs. **b** On lui a offert une tasse de café. **c** On lui a prêté un pantalon. **d** On nous a montré notre chambre. **e** On m'a dit d'attendre ici.

UNIT 10

2 **a** Jean-Pierre is phoning Martin. **b** Jean-Pierre is in London, Martin is in Paris. **c** 23–24 April. **d** Yes – except for Claire's birthday party. **e** At Martin's. **f** Parking in Paris. **g** 25 euros for 24 hours. **h** 150 euros. **i** 75 euros. **j** Long journey – 7 hours. **k** 63 rue Malraux. **l** At neighbour's – 65 rue Malraux.

3a **a** – 4; **b** – 6; **c** – 7; **d** – 2; **e** – 8; **f** – 3; **g** – 1; **h** – 5.

4 **a** Parce qu'elles polluent et on est toujours coincé dans des bouchons. **b** Il considère qu'une voiture est nécessaire pour partir le week-end et pour aller à la campagne. **c** Elle aime aller à la Fac en vélo. **d** Elle accepte l'invitation de Martin de rendre visite à ses parents en voiture./Elle accepte que les voitures sont nécessaires pour se déplacer à la campagne.

6 **a Pour**: Tu as peut-être raison. Bon. OK. **Contre**: Tu as tort. Absolument pas! Je ne suis pas d'accord avec toi! Mais non! Je suis contre. Tu exagères!

8 **a** Gaston a l'intention de partir en Australie à partir du mois de septembre. **b** Mais il faut d'abord de l'argent pour payer le billet d'avion. **c** Il va peut-être pouvoir travailler dans la banque où il a travaillé l'année dernière. **d** Mais pour l'instant il ne pense qu'à se détendre. **e** Un avantage du poste de Martin, c'est qu'on peut profiter des réductions sur des vols pour partir en vacances. **f** Pour les vacances, il pense aller en Grèce ou à New York. **g** Les jeunes hommes ont l'intention de rester en contact/correspondre par courrier éléctronique.

10 Jean-Pierre arrived Paris on morning of Tuesday 18th. Came with a girlfriend by car because cheapest. Martin didn't leave key with neighbour. What happened? – Jean-Pierre has lost Claire's address and telephone number. He will contact Gaston – but hasn't he moved? – Jean-Pierre has mobile on him and asks Martin to ring.

11 Salut, Jean-Pierre. Je m'excuse de ne pas être à la maison quand tu es arrivé. J'ai dû aller à la Fac ce matin. J'ai un problème et je ne peux pas te loger. Mais j'ai parlé avec Gaston. Il peut te loger. Son numéro de téléphone est le 01 34 67 43 98. A bientôt, Martin.

12 **Cazettes** – 1 chambre, 20/21 juin, salle de bains, sur cour, 05 51 80 87 24; **Fournand** – 2 chambres, 13/14 juillet, 1 chambre à grand lit avec salle de bains, 1 chambre à deux lits avec douche, parking?, 02 40 93 69 07; **O'Reilly** – 1 chambre, 17–19 septembre, salle de bains, avec vue, reilly@hotmail.com; **Benaissa** – 1

chambre, 15 août, salle de bains, balcon, 01 273 88 57 13.

13 **a** Heavy snowfalls on the pass two days before. **b** Space skiers out. **c** Above all, keep standing! **d** Less than one metre. **e** Black and red circles dancing in front of his eyes, heart thudding. **f** 30 minutes.

Exercices de grammaire

1 **a** aime; **b** me lève; **c** prends; **d** téléphonent; **e** fait; **f** va; **g** partons; **h** sont; **i** préfère; **j** nous disputons; **k** réussit.

2 **a** – 4; **b** – 3; **c** – 5; **d** – 1; **e** – 2.

3 Je me suis couché(e) très tard. Je n'ai pourtant pas réussi à dormir. J'étais trop excité(e). Des souvenirs de la journée me traversaient sans cesse l'esprit. Le moment où tu m'as embrassé(e) en descendant du train. Le petit déjeuner que nous avons pris ensemble sur la terrasse du café. Les musées, les monuments que nous avons visités, le dîner qu'on a préparé et qu'on a mangé chez toi. Dans ton studio. Avec son nouveau canapé – blanc – sur lequel j'ai renversé un verre de vin – rouge. Tu ne m'as pas excusé(e). On s'est dit adieu. Et j'ai pleuré. J'ai couru jusqu'à la station de métro. Je suis arrivé(e) chez moi vers une heure du matin. J'ai essayé de dormir mais je n'ai pas pu. Je me suis levé(e), j'ai écrit ce message et finalement je me suis endormi(e) assis(e) sur le fauteuil dans le séjour.

4 **a** Tu viens de Paris? **b** Tu es d'où? **c** Tu es étudiant(e)? **d** Qu'est-ce que tu étudies? **e** Quand termineras-tu? **f** Ça te plairait de me rendre visite en Grande-Bretagne?

5 **a** Jean-Pierre lui a téléphoné. **b** Gaston n'y était pas. **c** Jean-Pierre voulait les lui prêter. **d** Il n'arrive pas à le contacter. **e** Il lui donne un coup de fil. **f** Claire l'invite chez elle. **g** Elle est obligée de lui donner quelque chose à manger. **h** Plus tard il y rentre. **i** Et les CDs? "Ah, je les ai oubliés dans l'appartement de Claire."

6 **a** veux; **b** peux; **c** doivent; **d** veut; **e** doit; **f** savent.

7 **a** automatiquement; **b** graduellement; **c** remarquablement; **d** actuellement; **e** éventuellement.

8 **a** que; **b** qui; **c** qui; **d** qu'; **e** qui; **f** qu'.

9 **a** Je souhaite voir le chef de personnel, s'il vous plaît. **b** Je voudrais poser ma candidature pour le poste. **c** Je désire travailler sur place. **d** Normalement les jeunes préfèrent voyager. **e** J'ai envie d'un salaire de 1,750 euros.

10 **a** – 3; **b** – 4; **c** – 5; **d** – 1; **e** – 2.

11 **a** Les huîtres se mangent avec un bon vin blanc. **b** Le champagne se boit avec le dessert. **c** Ici on parle anglais. **d** Des journaux étrangers se vendent à ce kiosque.

12 **a** Eight people were killed in a road accident. **b** Causes were not known yesterday. **c** A young man was given a breathalyser test. **d** A passer-by was questioned by the police.

Exercices supplémentaires

Unit 1 p. 130

1 **Martin Lecomte a** En Italie; **b** Avec deux copains, Jean-Marc et Philippe; **c** Rome, Florence, Pise, les musées; **d** Non, ils ont pris la voiture de Philippe; **e** Son appareil photo; **f** Non. **Corinne Blanchard a** Non. **b** Elle n'avait pas d'argent. **c** Elle a travaillé dans une banque pendant le mois de juillet et les deux premières semaines du mois d'août et elle a passé une quinzaine à Montpellier. **d** Sa grand-mère. **e** Oui, elle s'est amusée. **f** Passer un mois au Mexique.

3 **a** Près de la ville de Cannes sur la Méditerranée. **b** Non, la circulation automobile est interdite. **c** Planche à voile,

catamaran, kayak et plongée. **d** Oui, il y a une fête tous les soirs au château. **e** Kayak et plongée. **f** (A vous de répondre!) **g** Le matin ou l'après-midi. **h** Kayak et planche à voile. **i** La mer. **j** (Par exemple:) Oui, parce que je ne nage pas bien./Non, parce qu'on l'apprend dans les conditions de sécurité.

Unit 2 p. 132

1 **a** Vers dix heures et demie. **b** Il est allé à la soirée de Pierre et après en discothèque. **c** Vers neuf heures du matin. **d** Il est tombé amoureux d'Aurélie. **e** Oui, elle la trouve très sympa et elle l'aime bien. **f** Florence et Anne-Marie. **g** Florence est partie passer le week-end chez des amis à Paris et Anne-Marie est sortie faire du shopping en ville. **h** Son vélo et un walkman. **i** De taille moyenne, vingt ans environ, aux cheveux bruns.

3 **a** Le 13 mars à 23h15. **b** Des diamants avec une valeur de millions d'euros. **c** Avec Charles Delmas. **d** Ils sont allés manger au restaurant 'Chez Josiane.' **e** Vers onze heures. **f** Elle ne pouvait pas dormir. **g** Elle ne sait pas. **h** Elle est infirmière. **i** De 23h00 à 6 heures du matin. **j** Parce qu'elle s'est endormie devant la télévision.

Unit 3 p. 134

1 **a** – F; **b** – V; **c** – F; **d** – V; **e** – F; **f** – F; **g** – F; **h** – V; **i** – V; **j** – F.

3 **a** Parce qu'elle adore la gymnastique et elle pratique la musculation, le squash, l'aérobic et la danse. **b** Dans le centre sportif. **c** Elle sort avec ses copains: au cinéma, au restaurant, et en boîte. **d** Elle invite des gens. **e** Elle a pendu la crémaillère. **f** Oui, on s'est bien amusés. **g** A trois heures du matin. **h** Elle a joué au squash.

4 **a** Tu es libre ce soir? **b** Cela te dit d'aller au cinéma? **c** Qu'est-ce que tu proposes? **d** Qu'est-ce que tu recommandes? **e** Je ne t'ai pas compris.

Unit 4 p. 136

1 **a** – F; **b** – V; **c** – F; **d** – V; **e** – F; **f** – F; **g** – V; **h** – V; **i** – F; **j** – V; **k** – V; **l** – V; **m** – V; **n** – V; **o** – F.

3 **a** Parce que son oncle habitait près de la mer. **b** Il allait à la plage, il se baignait. **c** Des moules-frites. **d** Il vendait des glaces. **e** Chez son oncle. **f** Sa nourriture. **g** Une moto.

5 **a** naissait; **b** mourait; **c** reprenait; **d** partageait; **e** voulaient; **f** ont sévré.

Unit 5 p. 138

1 **a** 1 mètre 65. **b** 72 kilos. **c** Il marche beaucoup. Il va à vélo d'un endroit à l'autre. **d** Hélène est grande mais pas trop grande. **e** Parce qu'ils ont des goûts différents – il voulait aller au cinéma et elle en discothèque. **f** Jules a les cheveux longs avec une boucle d'oreille. **g** Non. **h** Il doit rester en contact avec Hélène. **i** Avec Gaston. **j** De nationalité anglaise ou australienne. **k** Il se souvient des anniversaires, il sait cuisiner et il gagne beaucoup d'argent. (Ou bien: il apporte des cadeaux et il peut partir en vacances quand il veut).

3 **1** No! **2** Its taste, its vitamin A content, its saturated or mono-unsaturated fatty acids. **3** For cooking, in order to balance the fatty acids, since its own acids are polyunsaturated. **4** faux; gras/grasse; cru; saturés, mono-insaturés; polyinsaturés; caloriques. **5** moins; plutôt; mieux; très.

Unit 6 p. 140

1 **a** A letter of application, CV and photo. **b** 31 March. **c** Experience of telesales, group management, good English and IT skills, especially Microsoft Office. **d** Temporary – 3 months but with the possibility of becoming permanent. **e** 14/15 September in Paris.

3 **a** Sales executive. **b** Yes. **c** A-levels (or French baccalauréat) + two or three years

further study. **d** Business; Management; IT. **e** Familiarity with the Internet and the PC, ability to listen to customers. Enthusiastic, motivated and with good English. **f** Fax or on their website.

5 **a** Je suis jeune diplômé en marketing. **b** Je suis des cours supplémentaires de langue française. **c** J'ai passé trois mois en stage d'entreprise. **d** le siège britannique de Xerox à Londres. **e** Je connais bien les outils informatiques. **f** Veuillez agréer, messieurs, l'expression de mes sentiments les plus dévoués.

Unit 7 p. 142

1 **a** Going to visit her parents. **b** 35 km. **c** Maurice is in the States and Bernard will be in Italy. **d** No. **e** Not enough snow. **f** Eight hours, maybe more. **g** Thursday. **h** She'll tell them she won't be there for the Easter weekend. **i** Go to the cinema. **j** Outside the cinema at 8.30.

Unit 8 p. 144

1 **a** – V; **b** – F; **c** – V; **d** – F; **e** – F; **f** – F; **g** – V; **h** – V; **i** – F; **j** – V; **k** – V; **l** – F.

3 **i** What date will the interviews take place? **ii** Would you take the plane or the train? **iii** If they took you on, when would you start? **iv** Would it be a permanent post or a fixed term one? **v** Would you continue your studies in Great Britain? **vi** Would you like to spend a few weeks with us? **vii** Could you take some holiday before or after the period with France Telecom?

5 **Marcus:** Voici ce que je propose – on embauche Jeremy pour deux semaines pour terminer à l'heure. **Jacques:** OK – c'est une proposition plus intéressante. **Marcus:** Vous êtes d'accord? **Jacques:** Oui, ça me paraît raisonnable. **Marcus:** C'est réglé donc. Je téléphonerai à Jeremy et je vous contacterai plus tard. **Jacques:** D'accord. Merci, Marcus.

Unit 9 p. 146

1 **a** She used to live in a very beautiful flat. **b** 225 euros per month. **c** 25 euros per month. **d** No bath, the kitchen is very small and there is no lift. **e** It's in a very quiet district and the metro is just next door. **f** 20–25 minutes. **g** Tomorrow. **h** Her bookshelves and spin-drier.

4 **23 killed in a train accident**
23 people were killed in a train accident yesterday near Figeac in the district of Lot. The reasons were not known. 56 casualties (injured people) were taken to hospital in Cahors. The police are continuing their investigations.

Murderer sentenced to 30 years
Pierre Navelot, who dreamed of being a serial killer, was sentenced to thirty years imprisonment for the murder of a young woman. His associate went down for/got 28 years.

The minimum wage celebrates its 50th birthday. (*Lit.* 50 Springs for the minimum wage)
Created by decree 50 years ago, the minimum wage has been fixed from the 1st of July at 6,12 euros an hour before tax. Nearly 2 million employees are affected.

Off the beaten track
Invented in Russia 10,000 years ago, snow-shoes have come back into fashion. Silent, inexpensive, easy to use, snow-shoes are selling better than surfboards.

Unit 10 p. 148

1 **a** Sunday 16th August; **b** Tuesday 18th August; **c** 10.54; **d** 12.30; **e** 18.39 or 6.39 p.m.; **f** 21.09 or 9.09 p.m.; **g** 9.

Alphabetical list of topics and language items

Topics/functions and grammar points covered in each unit

Unit	**Topics/functions**	**Grammar**
1 Ah! Les vacances	Information about self and others; asking questions and interviewing; giving and understanding information about holidays, travel, vacation jobs	• The present tense – recap • The perfect tense – recap • Questions and question words
2 Tu es sortie hier?	Recounting a series of events; following a spoken or written account of an incident	• Further work on the perfect tense – questions and negation • Reflexive verbs
3 Temps libre	Interacting in a social context; informal and formal usage	• Direct and indirect object pronouns • Order of pronouns • Use of **tu** and **vous**
4 Dans le passé	Talking about situations in the past; expressing opinions; expressing agreement and disagreement	• The imperfect tense • Time expressions
5 Le partenaire idéal	Talking about age, weight, height, appearance; understanding descriptions of people and places; making comparisons, stating preferences and interests	• Adjectives – recap • Adverbs • Comparison of adjectives and adverbs • Modal verbs – **devoir**, **pouvoir**, **savoir** and **vouloir**

Unit	Topics/functions	Grammar
6 Poser sa candidature	Applying for a temporary job abroad; understanding written information, small ads; giving information about oneself	• Expressing wishes and wants – recap • Relative clauses – recap • Demonstratives
7 J'arrive mardi	Making and understanding arrangements, describing plans, using timetables and travel information; booking a hotel room	• Future tense • Imperative – recap • Times and dates – recap
8 L'entretien d'embauche	Talking about hypothetical situations; taking part in an interview; negotiation	• 'If' sentences • The conditional
9 Je cherche un logement	Finding accommodation; making enquiries; negotiation; understanding written and spoken information	• The passive and its avoidance
10 Révision	Revision material: focus on oral work	• Revision of all structures covered in the course

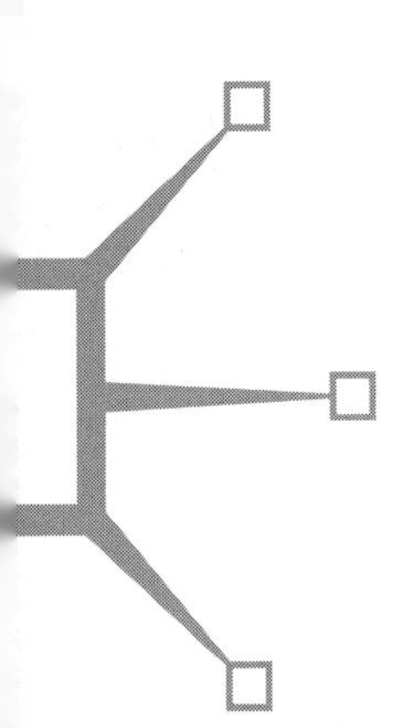